D'amour et de poussière

Ernest J. Gaines

D'amour et de poussière

Traduit de l'américain par
Michelle Herpe-Voslinsky

Ouvrage traduit avec le concours
du Centre national du livre

LIANA LEVI *piccolo*

ISBN : 978-2-86746-546-8

www.lianalevi.fr

Première partie

1

De ma galerie, j'ai vu la poussière dévaler les quartiers à toute allure, et j'ai pensé : « Qui diable peut bien conduire comme ça ? » Je me suis levé pour me réfugier dans la maison jusqu'à ce que la poussière soit retombée. Mais à peine je venais d'entrer, j'ai entendu le camion stopper devant mon portail. Je me suis pas retourné tout de suite parce que je savais que la poussière volait partout. Environ une minute plus tard, quand j'ai jugé qu'elle s'était reposée, je suis ressorti. La poussière volait toujours dans la cour, mais moins qu'avant. J'ai regardé en direction de la route et j'ai vu une silhouette franchir le portail. Il faisait trop sombre pour savoir s'il s'agissait d'un Blanc ou d'un type de couleur.

– C'est toi, Kelly ? il a dit en arrivant au bas des marches.

C'était un jeune gars grand et mince, la peau brune. Il portait un pantalon foncé et une chemise claire plutôt crasseuse. Le col était déboutonné et les manches roulées jusqu'aux coudes.

– Oui, j'suis Kelly, j'ai répondu. Jim Kelly.

– Il veut te voir, a dit le garçon en désignant le portail du menton. Ça t'dérange si je prends de l'eau ?

– T'en trouveras dans la glacière à la cuisine.

Il a monté les marches et quand on s'est croisés, j'ai vu qu'il transpirait, j'ai senti l'odeur sur ses habits. J'ai marché vers le camion où Sidney Bonbon était assis au volant. Bonbon était le régisseur de la plantation. Il avait encore le chapeau de paille blanche taché de sueur et les habits kaki puants de transpiration qu'il avait portés aux champs toute la journée. Il regardait la vieille maison de Charlie Jordan de l'autre côté de la route. Charlie avait laissé la lumière allumée dans la pièce devant et il était assis dehors sur la galerie avec quelqu'un d'autre.

– Ouais ? j'ai dit en m'appuyant sur le camion.

Bonbon s'est tourné vers moi.

– T'as quèque chose à faire ?

– J'étais sur ma galerie.

– Tu vas le conduire à Baton Rouge. Tu prendras ses affaires et tu le ramèneras ici. Il aura la chambre à côté de la tienne.

J'aurais voulu qu'il m'en dise plus sur ce garçon.

– Y a quoi là-dedans ? il a demandé.

– Un fourneau, mais sans tuyau. C'est à peu près tout.

– Pas de lit ?

– Non. Y avait une vieille paillasse, mais quelqu'un doit l'avoir prise.

– Si y en a pas à Baton Rouge, ils en auront à l'atelier, Bonbon a dit. Il trouvera le reste au magasin.

J'ai hoché la tête. J'aurais toujours voulu en savoir plus sur le garçon. Qui était-ce ? Que faisait-il là ?

– J'le mets dans ta maison et y va travailler avec toi à partir de tantôt, Bonbon a dit. Jonas aura qu'à aller dans le champ de coton.

Le garçon est sorti de la maison et il s'est planté à côté du camion.

– T'es prêt ? Bonbon m'a demandé.

– Oui, j'suis prêt. (Je me suis tourné vers le jeune type.) T'as fermé la porte ?

– Ouais.

– Alors grimpe, j'ai dit.

Il est monté au milieu, et moi à côté de lui. Il faisait une chaleur infernale, nous trois entassés dans la cabine. Bonbon a roulé jusqu'au bout des quartiers pour faire demi-tour à la voie ferrée, puis il a remonté la route aussi vite qu'il l'avait descendue. Quand il est arrivé devant sa maison, je savais ce qui allait se passer, alors je me suis raidi, mais le jeune gars, lui, il savait pas, et quand Bonbon a freiné d'un coup, il s'est cogné le front contre la vitre.

– … de Dieu ! il a fait.

– Eh ben d'accord, Jime, Bonbon m'a dit, l'air de pas avoir entendu le juron.

J'ai posé la main sur la portière pour descendre, mais quand Bonbon s'est mis à parler au gars, j'ai plus bougé.

– J'ai pas besoin de te dire de revenir, hein ?

Le garçon a pas répondu. Il se frottait le front, les sourcils froncés. Je l'ai touché du genou.

– J'reviendrai, il a dit.

Bonbon m'avait pas vu, mais il savait que j'avais touché le garçon ; et présentement, assis là, il le regardait comme s'il était sûr que l'autre allait lui causer des ennuis. Il a levé une main, appuyé sur le bouton brillant de la boîte à gants, et il a pris son revolver.

– Bon, Jime, il a dit.

Je m'appelle James Kelly, mais Bonbon pouvait pas dire James. Il m'appelait Jime. C'était le seul homme, blanc ou noir, à m'appeler comme ça.

Bonbon est descendu et moi aussi. On s'est croisés devant les phares qui nous ont éclairés un instant.

– Je laisse le camion ici quand j'reviens ? j'ai demandé.

– Ouais. Et mets les clés dans la boîte à gants.

– On y va, j'ai dit.

– À demain, Jime.

Il est entré dans sa cour et je suis monté dans le camion. J'ai démarré aussi vite que Bonbon avait dévalé les quartiers.

– Le salaud ! le garçon a dit.

– Tu t'y feras, j'ai répondu.

– Non, pas moi. S'y croient que j'vais rester ici cinq ans…

– Ah, je vois. T'es un d'ces types, han ?

Il a plus rien dit. Il tenait un mouchoir sur son front. Quand on est arrivés sur la grand-route, je me suis bien calé derrière le volant. Je voulais revenir de Baton Rouge le plus vite possible.

– J't'ai jamais vu par ici, j'ai dit. Comment t'as connu Marshall Hebert ?

– Bon, il a fait. Si tu veux savoir c'qui s'est passé, t'as pas besoin de tourner autour du pot. T'as qu'à demander, c'est tout.

– Te fâche pas, mon gars. J'suis seulement là pour te conduire où tu dois aller.

– Et pour poser des questions.

– T'es pas obligé de répondre.

– Ben, j'ai tué un type, il a dit. Marshall Hebert m'a tiré de prison, il a payé la caution. Mais tu peux lui dire ça si t'es son fayot de nègre – s'y croit que j'vais tirer cinq ans sur cette plantation, il se met le doigt dans l'œil. J'vais me sauver sitôt que j'peux.

– Ce soir, par exemple ?

– T'en sauras rien, fayot de nègre.

– Bon, mettons les choses au point tous les deux : j'suis le fayot de nègre de personne. Et encore une chose : si tu veux t'enfuir ce soir, j'arrête le camion et j'te laisse partir. T'entends ?

Il a pas répondu, il tenait toujours le mouchoir contre son front.

– Bon, j'ai fait. C'est réglé alors.

– Merde, qu'il a dit, en s'adossant contre la banquette.

2

Une demi-heure plus tard, je traversais le Mississippi et j'entrais à Baton Rouge. Je sentais l'odeur de la fabrique de ciment sous le pont. Des fois l'odeur était si forte qu'elle vous rendait presque malade. Plus loin à droite y avait les usines de produits chimiques et les compagnies pétrolières. Je voyais des centaines et des centaines de lumières électriques par là-bas. Tout en haut au-dessus des lumières, des bâtiments et des cuves de pétrole, une grande flamme s'élevait. Elle sortait d'une cheminée où on brûlait le gaz en trop.

J'ai réveillé le jeune type et je lui ai demandé où il habitait. Il m'a dit d'aller au sud de la ville. Je lui ai demandé où au sud de la ville, et il m'a indiqué Louise Street. Arrivé là, j'ai encore dû le réveiller. Cette fois il s'est redressé sur le siège et m'a fait signe de continuer. Après deux croisements il m'a montré une maison sur la droite. J'ai garé le camion sur le côté, devant une petite villa blanche. La porte d'entrée était ouverte, de la lumière brillait à l'intérieur.

– Qu'est-ce que t'as à prendre ? j'ai demandé au garçon.

Sans me répondre, il est descendu et il a marché vers la maison. Je suis sorti du camion et je l'ai suivi. Je faisais pas ça pour garder l'œil sur lui – s'il voulait se sauver c'était ses oignons ; non, je l'accompagnais pour l'aider à porter ses affaires.

– Marcus ! une femme a dit sitôt qu'il est entré dans la pièce. Marcus est là, maman.

– J'te l'avais pas dit ? a fait quelqu'un d'autre. (C'était une voix de vieille dame.) J'te l'avais pas dit ?

Je suis entré aussi et je suis resté près de la porte. Tout le monde était si occupé à regarder Marcus, ils m'ont pas vu ni entendu entrer. Une vieille femme qui devait avoir quatre-vingts ou quatre-vingt-dix ans tapotait la figure de Marcus. Il aimait pas ça, mais la vieille dame était si heureuse de le voir qu'elle pouvait pas s'arrêter. Une femme plus jeune et un homme étaient debout près d'eux. La femme avait l'air contente, mais l'homme paraissait dégoûté. Deux enfants, un garçon et une fille, se tenaient de l'autre côté de l'homme. Ils regardaient aussi Marcus. À les voir tous les deux on aurait dit qu'ils avaient un peu peur de lui. Le petit a été le premier à remarquer qu'une deuxième personne était entrée. Il m'a regardé une seconde, et après tous les autres ont fait de même.

– Vous êtes venu chercher ses habits ? la vieille dame m'a demandé.

– Oui, m'dame. Et un lit aussi, si vous en avez un.

Elle a hoché la tête.

– Je suis Miss Julie Rand, elle a dit. La marraine de Marcus.

– James Kelly, j'ai dit en m'approchant d'elle.

J'ai serré toutes les mains. L'homme s'appelait George, c'était le fils de Miss Julie Rand. La jeune femme, Clorestine, était son épouse. Elle avait une attitude différente. Lui était dégoûté, il avait honte de Marcus ; elle était heureuse de le voir sorti de prison.

– Je vous remets pas, m'a dit Miss Julie Rand. Depuis quand vous vivez à la plantation Hebert ?

– Ça fait trois ans.

– Ah oui, j'étais déjà partie.

– Depuis longtemps, maman, a dit Clorestine.

– C'est vrai, a opiné la vieille dame.

Puis elle a regardé Marcus.

– Tu as faim ? elle lui a demandé.

– J'crève de faim.

Il mettait pas de respect ni même de gentillesse dans sa voix. Je voyais George le regarder de travers. Il détestait Marcus à cause de ce qu'il avait fait, et il avait honte que je sois au courant.

– Ça vous dirait de souper avec nous, monsieur Kelly ? m'a demandé Miss Julie.

Miss Julie avait une petite voix haut perchée qui allait parfaitement à une femme de sa taille et de son âge.

– Non, m'dame. J'ai dîné y a pas bien longtemps.

– Eh bien, y a de la glace et de la tarte. Vous pouvez partager le dessert avec nous.

– J'vais prendre un bain, a dit Marcus. Je mangerai quand j'aurai fini.

Ils l'ont tous regardé sortir de la pièce. Il avait tiré le pan de sa chemise avant d'arriver à la porte. Le dos de la chemise était crasseux et la manche droite déchirée. Durant une bonne minute après son départ, personne a soufflé mot. Puis la vieille dame a levé les yeux vers moi. Je mesure dans les un mètre quatre-vingt-cinq et elle faisait pas plus d'un mètre quarante-cinq ou cinquante, alors elle devait pencher la tête loin en arrière pour me regarder en face.

– C'est un bon garçon, elle a dit.

« Pour sûr, j'ai pensé, et habile au couteau aussi. » Parce que là tantôt j'avais compris qui c'était. Un jeune type de couleur en avait tué un autre le dimanche précédent dans un bastringue. Mais je comprenais pas ce que Marshall Hebert venait faire dans cette histoire.

– Venez avec moi dans ma chambre, monsieur Kelly, voulez-vous ? Miss Julie a dit de cette petite voix haut perchée qui lui allait si bien.

Je l'ai suivie dans une petite chambre malodorante, encombrée de meubles. Toutes les vieilles personnes qui viennent à la ville vivent dans des pièces comme celle-là. Elles tâchent d'emporter tout ce qu'elles avaient à la campagne et l'entassent dans une petite pièce qui peut pas contenir la moitié de leurs possessions. Miss Julie avait placé un vieux sofa contre le mur et un petit fauteuil à bascule près du lit. Sur une vieille malle devant la fenêtre s'empilaient des courtepointes et des couvertures ; contre le mur en face, sur une armoire bancale, une demi-douzaine de boîtes en carton. Dans le coin près de l'armoire, plusieurs sacs en papier bourrés de vêtements. Sur la cheminée, au milieu d'un fouillis de bibelots, trônait une vieille lampe à pétrole, en cas de panne d'électricité. Sur les quatre murs, on voyait des images de Jésus-Christ ; elles décoraient de vieux calendriers que Miss Julie avait jamais jetés. Les premiers dataient des années trente, le dernier était de l'année – quarante-huit. Au-dessus de la cheminée, dans un vieux cadre de bois noir était glissée la photo d'un homme et d'une femme. L'homme était assis, la femme debout à ses côtés. J'ai pensé que c'était un portrait de Miss Julie et son mari, quand elle était beaucoup, beaucoup plus jeune.

– Asseyez-vous, je vous prie, monsieur Kelly, elle a dit.

Je me suis donc assis sur le sofa pendant qu'elle s'installait dans son petit fauteuil à bascule, les yeux sur moi. Elle était pas grande comme vieille dame, et là tantôt, assise avec les pieds qui touchaient à peine le plancher, elle paraissait encore plus petite. Elle avait la tête entourée d'un vieux fichu rose, et sa robe grise balayait presque le sol. Ses pantoufles marron paraissaient quasiment aussi vieilles qu'elle.

Mais ce qui me frappait le plus dans cette pièce, c'était l'odeur. Une odeur de vieilles gens, de vieux habits, de vieux flacons d'onguent.

– Vous êtes de par ici, monsieur Kelly ? elle m'a demandé.

– De Pointe Coupée, j'ai répondu.

– Vous m'avez l'air d'un très brave homme, monsieur Kelly.

Puis elle m'a regardé longtemps, en m'étudiant avec attention.

– Oui, un très brave homme.

Je ne savais pas si elle voulait que je lui donne raison, mais je me sentais mal à l'aise sous son examen. L'odeur de la chambre n'arrangeait rien du reste.

– Je voudrais que vous me rendiez un service, monsieur Kelly.

– Oui, m'dame ?

– Veillez sur Marcus là-bas.

– Je ferai c'que j'pourrai.

– Sidney Bonbon est toujours régisseur, il paraît.

– Oui, m'dame, il est toujours là.

– Toujours le même ?

– On s'entend bien avec lui, la plupart.

– Oui, elle a fait en hochant la tête. Mais faut d'abord qu'il mette les gens à l'épreuve, qu'il les brise. Je veux que vous parliez à Marcus, que vous lui fassiez comprendre.

– Je ferai ce que je pourrai, j'ai répété.

Je sentais toujours l'odeur. Elle venait de partout dans la pièce. J'avais bien envie de retenir mon souffle, mais la vieille dame me quittait pas des yeux.

– Ça me chagrine de le voir partir là, elle a dit. Mais au pénitencier, ils peuvent vous tuer un homme, et il reste pas grand-chose de lui quand ils le laissent sortir.

– La plantation peut faire pareil à certains.

– Oui, c'est vrai, elle a dit pensivement. Mais on est au grand air, avec des gens qui font attention à vous.

– Il s'en sortira s'il accepte les ordres, j'ai dit. Mais faudra qu'il accepte les ordres.

– Vous pouvez lui parler, monsieur Kelly. Vous m'avez l'air d'un homme qu'il écoutera.

« Celui-là, écouter quelqu'un ? j'ai pensé. Vous vous moquez de moi, grand-mère ? »

– Parce que c'est un bon garçon, elle a ajouté en me regardant comme si elle croyait pas elle-même ce qu'elle disait. L'autre était dans son tort. Ils l'ont forcé à se battre avec ce garçon. C'est l'autre qu'a tiré son couteau le premier.

« Comment vous savez tout ça ? j'ai pensé. Ça s'est passé à trois heures du matin, vous deviez déjà être au lit depuis huit ou neuf heures de temps. Vous croiriez tout ce qu'il vous raconte, hein ? »

– Il a pas de maman ni de papa, était-elle en train de dire. Sa maman est morte, et son papa est parti, il l'a abandonné. J'ai fait mon possible pour l'élever, mais vous voyez, je suis vieille.

J'ai hoché la tête. Sûr que cette vieille femme aurait pu vous tirer des larmes.

– Vous veillerez sur lui, han ? elle a demandé.

– Je lui donnerai des conseils. Mais je peux pas l'obliger à faire ce qu'il veut pas. Je ferai de mon mieux.

– Oui, je vous en sais gré. Je partirais moi-même avec lui, mais mes enfants veulent plus me voir habiter la plantation. Depuis quelque temps je suis malade. Je suis très malade en ce moment, monsieur Kelly.

– Vous avez bonne mine, j'ai dit.

– Ah, monsieur Kelly ! elle a fait en souriant.

J'ai vu qu'il lui manquait toutes les dents. Puis elle a cessé de sourire et m'a seulement regardé un bon moment.

– Non, monsieur Kelly, c'est plus qu'une question de temps à présent. Mais j'ai fait la paix avec mon Créateur.

J'ai rien dit, vu que je savais pas quoi dire. Je savais pas quoi faire non plus. Je crois que j'ai vaguement hoché la tête.

– Comment vous vous entendez avec monsieur Marshall ? elle m'a demandé.

– Quand on se rencontre on se parle. En dehors de ça, on a pas grand-chose à voir ensemble.

– Vous saviez que Sidney Bonbon le tient ?

– Non, m'dame. J'ignorais ça.

– Oui, elle a fait en hochant la tête. C'est pour cette raison que j'ai dû partir. J'étais la cuisinière des Hebert depuis quarante ans, j'ai fait la cuisine pour trois générations de Hebert. Sidney Bonbon sait quelque chose sur lui, et il a mis Pauline à ma place.

– Qu'est-ce que Bonbon sait sur lui ? j'ai demandé.

Miss Julie s'est balancée durant presque une minute dans son fauteuil, en se contentant de m'étudier. Elle voulait plus parler, je le voyais, mais peut-être elle en avait déjà trop dit. Vous comprenez, je n'avais que trente-trois ans, j'étais un enfant à ses yeux, et les enfants ne devraient pas en savoir trop sur les affaires des grandes personnes. Surtout quand il s'agissait de quelqu'un d'important comme Marshall Hebert. Seulement Miss Julie avait besoin que je veille sur Marcus. Elle avait terriblement besoin de moi, et elle savait que je le savais.

– Il y a longtemps, deux personnes ont été tuées. On raconte que c'est Bonbon qui a fait le coup pour monsieur Marshall…

Miss Julie n'a pas cessé de se balancer en disant ça. On voyait combien ça lui coûtait d'en parler et même d'y penser. Elle m'a pas dit de garder cette révélation pour moi, mais ses yeux me recommandaient de jamais la répéter. Elle continuait à se balancer dans le fauteuil, avec ses vieilles pantoufles marron qui touchaient à peine le plancher.

« C'est donc ça, j'ai pensé. C'est pour ça que Bonbon vole la moitié de ce qui pousse sur la plantation.

Marshall a les mains liées. Alors c'est ça… mais attendez. Attendez un peu. Vous aussi vous le savez, non ? C'est pour cette raison que Marshall a sorti Marcus de prison ? » J'avais essayé de comprendre quelque chose durant tout le trajet entre Hebert et Baton Rouge. « Pourquoi ? je me demandais sans arrêt. Pourquoi ? Qui c'est ce garçon, et pourquoi ? » Je savais que des Blancs payaient quelques centaines de dollars pour sortir des types de couleur de prison, et les faisaient travailler jusqu'à ce qu'ils aient récupéré le double ou le triple de leur argent. Mais je tâchais de piger pourquoi Marshall Hebert aurait fait ça alors qu'il avait déjà plus de bras qu'il lui en fallait. Là tantôt je savais. Cette petite vieille avait barre sur lui, elle aussi.

— Non, c'est pas ce que vous pensez, monsieur Kelly, elle a protesté. Ce Blanc a été bon pour moi. Je suis allée le trouver parce que j'avais personne d'autre.

J'ai hoché la tête, mais je la croyais pas. À mes yeux, cette petite dame était un gangster pareil que Bonbon. Elle était même pire que Bonbon. Lui c'était un Blanc, et on attend pas autre chose des Blancs. Mais elle était de ma race, et par-dessus le marché c'était une femme.

— Sidney fricote toujours avec Pauline au bout des quartiers ? Miss Julie m'a demandé.

— Oui, m'dame, j'ai répondu en la lorgnant comme j'aurais lorgné un gangster.

— Comment vont les enfants ?

— C'est des grands gaillards là tantôt.

— Et sa femme en haut des quartiers, elle en a des enfants ?

— Juste une petite fille.

— Il est plus amoureux de Pauline que de sa femme, elle a dit en hochant la tête.

— Pauline le sait bien.

— Mmm, Miss Julie a fait.

Puis elle s'est mise à me regarder à dire qu'elle en savait plus long sur la vie qu'un homme comme moi en saurait jamais.

– Vous croyez qu'un jour viendra ? elle a demandé.

Je savais pas de quoi elle parlait.

– ...où Pauline et lui pourront vivre ensemble à leur guise ?

– Ils vivent déjà pas mal ensemble.

– Il va chez elle et repart toujours quand il veut ?

– Quand il veut, pour sûr.

– Et sa femme sait tout ?

– Oui, m'dame. Tout c'qu'elle a à faire, c'est d'aller à son portail regarder au bout des quartiers. Pratiquement chaque fois qu'il est pas à la maison, elle peut voir son camion ou son cheval là-bas.

– J'la plains, j'plains pas Pauline, a dit Miss Julie. Pauline s'en sortira toujours. L'autre, je crois pas qu'elle a assez de jugeote.

Après on s'est tus elle et moi. Miss Julie se balançait en me fixant toujours. Sa petite figure noire ridée était triste et pensive, très avisée aussi. Je parie qu'elle savait déjà tout sur moi. Elle savait que je veillerais sur Marcus, elle savait que je dirais rien rapport à Marshall et à Bonbon – toute façon, j'étais sûr que tout le monde à la plantation était au courant comme elle. Miss Julie m'a fixé si longtemps que j'ai tourné mes yeux vers les images sur le mur. Elles m'intéressaient pas ces images pieuses, mais j'étais pas à mon aise sous son examen. Quand les vieux vous regardent ainsi, c'est pour deux raisons. Premièrement, si vous avez fait quelque chose de mal. Deuxièmement, quand ils veulent obtenir une faveur de vous. En général, vous vous apercevez que c'est difficile. Plus c'est difficile, plus ils vous regardent longtemps. Miss Julie m'a fixé très, très longtemps.

– Oui, elle a fini par dire, comme si elle était sûre de moi à présent.

Je l'ai pas regardée, parce que je savais pourquoi elle avait dit ça. Elle l'a répété, puis elle a cessé de se balancer.

– Marcus doit avoir fini de prendre son bain. Allons manger la glace.

J'étais si content de l'entendre dire ça que j'ai manqué sauter de mon siège. Mais j'avais d'assez bonnes manières pour la laisser sortir de la chambre avant moi.

3

Marcus avait bien fini de prendre son bain ; il avait même mis un costume, et assis à table il mangeait. Clorestine nous a servi de la glace et de la tarte, à Miss Julie et à moi. George et les enfants étaient sur le canapé à feuilleter un magazine.

– T'as l'intention d'aller quèque part ? j'ai demandé à Marcus.

– J'vais faire un p'tit tour.

– Ah bon ? j'ai fait.

– Oui, il a répondu en me regardant.

Il avait passé un costume blanc en peau d'ange. Sa chemise et sa cravate étaient bleues, la cravate un peu plus foncée que la chemise. Une épingle en argent maintenait la cravate. Marcus m'a regardé le temps de mastiquer deux ou trois fois, puis il a détourné les yeux. Il pensait s'être fait comprendre. J'ai regardé la vieille dame, qui avait dit quel bon garçon c'était.

– Tu mettras pas longtemps, hein, Marcus ? elle a dit. Ce type a peut-être des amis, et ils pourraient…

Elle s'est tue parce qu'il écoutait même pas. La dernière bouchée avalée il s'est levé de table et s'est approché de George.

– Tu m'prêtes tes clés, George ? il a dit.

George lui a pas répondu. Il l'a même pas regardé.

– Tu m'prêtes les clés de ta voiture, George ? il a répété.

Cette fois George a levé la tête.

– Tu crois qu'c'est raisonnable ? il a dit. Ce Blanc il a donné d'l'argent pour te faire sortir, et…

– Prête-moi les clés, vieux, Marcus a coupé. T'as pas besoin d'me faire la morale.

George a tiré les clés de sa poche et les a tendues à Marcus. J'ai trouvé que j'en avais assez vu et entendu, et quand il a passé la porte, je l'ai suivi. Je l'ai rattrapé au moment où il descendait les marches.

– Minute ! j'ai dit.

– Dépêche-toi. J'suis en retard.

– Où c'est qu'tu crois aller, Marcus ?

– J'ai rendez-vous.

– T'as rendez-vous à la plantation, je lui ai dit.

– À tout à l'heure, il a répondu en se tournant pour partir.

Je l'ai attrapé par l'épaule et je l'ai forcé à se retourner.

– Recommence plus jamais ça, il a fait, menaçant.

– Tu ferais quoi, mon gars ? Dis-moi ?

– Tu verras bien.

Ça m'a mis tellement en rogne contre lui que j'ai eu envie de le plaquer contre le camion. Je venais de lever les mains pour l'attraper aux épaules quand j'ai vu Miss Julie apparaître à la porte. Marcus s'est écarté de moi, il est monté en voiture, il a démarré, et il s'est éloigné dans la rue. Je suis resté là, les yeux sur la voiture jusqu'à ce qu'elle tourne le coin, puis je suis rentré dans la maison.

– Soyez un peu patient avec lui, il est pas mauvais, Miss Julie m'a dit.

– C'est lui qui va payer, pas moi.

– Vous faites quoi dans le champ en ce moment ? George m'a demandé.

– On ramasse le maïs, j'ai répondu en me remettant à table pour continuer à manger.

– C'est dur comme boulot, pas vrai ?

– Moi je conduis le tracteur et j'ai un parasol. C'est pour ceux qui marchent derrière que c'est dur.

– On peut rien lui dire, George a ajouté.

– Faut avoir un peu d'patience, Miss Julie a fait.

– D'la patience, d'la patience. Depuis qu'il est là t'arrêtes pas d'parler de patience. Ça n'a rien changé.

– Si t'avais pas eu d'maman pour t'élever, tu crois que tu serais meilleur ?

– Au moins j'écouterais les gens qui tâchent de m'aider, George a répondu.

– Marcus est un bon garçon, a dit Miss Julie en mangeant sa glace. C'est un bon garçon.

Marcus est rentré vers minuit, et le temps qu'on finisse de charger le camion, il était minuit et demi. George, Clorestine et les enfants étaient allés se coucher depuis longtemps, mais Miss Julie avait veillé, elle l'avait attendu avec moi. Quand il a été prêt à partir, elle s'est approchée de lui, elle l'a pris dans ses bras et s'est mise à pleurer. Il ne devait pas manquer de revenir la voir la semaine suivante ; s'il venait pas, elle lui a dit, c'est elle qui irait. Marcus ne répondait rien. Il la laissait le serrer contre elle en pleurant, mais il ouvrait pas la bouche. Elle nous a suivis à la porte, et juste avant que je démarre elle a encore agité la main. Marcus n'a même pas jeté un regard en arrière ; il était assis là à croire qu'il était à moitié mort. Et d'après la manière que ses habits sentaient, ça m'aurait pas étonné.

Quand on est arrivés à la plantation, j'ai aidé Marcus à décharger ses affaires et le lit. Y avait pas de lumière dans la chambre, alors je lui ai prêté une vieille lanterne que j'avais dans la cuisine. On a monté le lit, et j'ai reconduit le camion en haut des quartiers. La maison et le jardin de Bonbon étaient sombres et tranquilles. Le chien a même pas aboyé quand j'ai garé le camion. J'ai mis les clés dans la boîte à gants et je suis reparti dans les quartiers. Marcus était encore debout à mon arrivée. Je suis passé dans ma chambre pour aller me coucher.

— Y a pas de placard ni de commode ici-dedans, Marcus a dit de l'autre côté de la cloison.

— Tu pourras suspendre tes affaires demain.

— J'veux le faire ce soir.

J'ai plus rien dit parce que j'étais déjà colère d'être resté si longtemps à Baton Rouge. Je me suis agenouillé et j'ai fait le signe de la croix, puis je me suis couché. Dans le temps je disais toute la prière, mais c'était y a longtemps quand j'étais jeune et que je croyais que le Vieux Planteur là-haut allait s'occuper des choses à ma place. Mais maintenant je sais que je dois tout faire par moi-même. Pourtant je me signe tous les soirs pour pas perdre la main. On sait jamais, peut-être qu'un jour je m'y remettrai.

— T'as un marteau et des clous ? Marcus a demandé.

Il était dans ma chambre debout près de la tête du lit. Ses habits sentaient la femme.

— Sors d'ici, mon gars, je lui ai dit. Si tu veux pas dormir, n'empêche pas les autres.

— Faut que j'accroche mes affaires.

— Les accrocher où ?

— J'ai trouvé ça, il a dit en tenant quelque chose au-dessus de ma figure.

Je voyais pas dans le noir, mais j'ai pensé que ça devait être un morceau de fil de fer.

— Tu crois que tu vas clouer ici ce soir ? Tu sais qu'il est une heure passée ?

— Faut que j'accroche mes affaires.

J'ai levé les yeux vers lui dans le noir. Je le distinguais difficilement, mais je sentais toujours cette odeur de femelle sur ses habits.

– Retourne dans la cuisine et allume la lumière, je lui ai dit. Tu trouveras un marteau et des clous sous la table. Va dans ta chambre et cloue tant que tu veux. Mais je te tire du lit à quatre heures et demie.

Il est allé prendre les outils dans la cuisine et il s'est mis à clouer. Il a cloué à tout-va pendant au moins une heure avant d'avoir suspendu son bout de fil de fer.

4

Billie Jean me secouait longtemps pour me sortir du lit le matin, mais maintenant ma Billie est partie et faut que je me lève tout seul. Où es-tu, Billie Jean, que fais-tu, mon petit poulet ? Où que tu sois, et quoi que tu fasses, j'espère que tu rends l'autre homme aussi heureux que moi. C'était le bon temps, hein ? On vivait près de Pointe Coupée, et c'était bon, hein ? Mais mon petit poulet, il lui fallait La Nouvelle-Orléans, Pointe Coupée ça bougeait pas assez pour elle. Et une fois à La Nouvelle-Orléans, il lui a fallu des choses que papa pouvait pas lui donner. Alors bébé s'est trouvé un autre prince. Ainsi va la vie, ma foi ; ainsi va la vie. Papa t'en veut pas, bébé. Il comprend l'existence, il l'a toujours comprise. Les petits poulets ont besoin de manteaux de fourrure, de parfum, de robes et de culottes de soie ; et si papa peut pas payer tout ça, le petit poulet va voir ailleurs. Ainsi va la vie, et Dieu te protège, petit poulet.

Assis au bord du lit, je pensais à elle et je me rappelais comment c'était y a quatre, cinq, six ans… Le soir quand je rentrais du champ la grande bassine d'eau chaude m'attendait, et Billie me frottait le dos. Et après

26

dans la vieille Ford on partait tous les deux pour la ville. Et là-bas on dansait, on dansait tard dans la nuit, puis on se dépêchait d'aller retrouver notre lit pour nous aimer, nous aimer jusqu'au matin. Et de nouveau le champ, à moitié morts de fatigue, rentrer à la maison, la grande bassine d'eau chaude, danser, et nous aimer. Ça a duré combien d'années ? Deux ? Trois ? Et puis fini. Papa pouvait pas tenir le rythme, et bébé devait trouver un homme qui en soit capable. Est-ce que papa a de la rancœur ? Non, il a pas de rancœur du tout. Ça fait partie de ce grand fourbi qu'on appelle la vie. Papa n'a pas de rancœur, bébé. T'as qu'à revenir maintenant, il te dira oui. C'est peut-être pour ça qu'il reste dans les parages. Ça lui rappelle un peu la vieille plantation, et il se dit qu'un jour tu pourrais passer et décider de t'arrêter, et alors… Cesse de rêver, Frank James Kelly. Il est bientôt cinq heures et un nouveau jour se lève.

J'ai fait le signe de la croix sans dire toute la prière, et j'ai enfilé mes habits en toile kaki. Après avoir préparé du gruau et des œufs, et fait un grand pot de café, je me suis assis sur le seuil de la porte de derrière pour déjeuner. Le soleil était pas encore levé, mais il faisait quand même assez clair pour voir dehors. Je voyais l'herbe se courber sous la rosée. Je voyais mon petit pacanier gris, ma vieille barrière de piquets toute penchée, et les vieux cabinets qui paraissaient prêts à s'écrouler au premier souffle de vent. « Un de ces samedis je vais les réparer », je me suis dit. Mais je le disais depuis tantôt deux ans et j'avais encore rien fait.

J'entendais le reste des quartiers se lever aussi. J'entendais Tante Emma nourrir ses poulets et gueuler contre le chien de Saint Mark Brown.

– Va-t'en de là, sale bête, elle criait. Fiche-moi le camp. T'es pire que ton vieux patron.

Un instant plus tard j'ai entendu le chien hurler ; puis la voix de Saint Mark Brown :

– Fiche un peu la paix à ce chien, vieille sorcière.

Et Tante Emma qui répondait :

– Alors empêche-le d'entrer dans ma cour. Empêche-le d'embêter mes poules, ce satané voleur d'œufs.

Et du haut en bas des quartiers j'entendais les autres se réveiller également.

Le soleil était pas encore levé, mais il faisait de plus en plus clair, et je savais qu'il était temps que j'aille faire démarrer Hannah la Rouge en haut des quartiers. Mais d'abord fallait que je tire Joli-Cœur du lit. J'ai commencé par boire de l'eau, puis j'ai rempli le verre pour l'emporter de l'autre côté. Fallait que je retraverse ma chambre et que je passe par la galerie pour entrer chez lui. Il avait tout suspendu bien proprement. Ses costumes, ses chemises et ses cravates étaient bien alignés. Six ou sept paires de chaussures de ville étaient appuyées contre le mur en rangée régulière. Ses valises étaient empilées soigneusement dans le coin. Et lui ? Il dormait. Couché dans le lit il ronflait comme un bébé de six mois. Je l'ai regardé un petit moment, puis j'ai flanqué un coup de pied dans le lit.

– Allez, lève-toi.

Il a pas bougé ; pas fait un geste ; il a même pas grogné.

Je l'ai secoué.

– Allez, on y va.

Cette fois il a grogné, mais toujours sans bouger. Je l'ai encore secoué. Puis je l'ai attrapé par l'épaule et je l'ai fait rouler en bas du lit. Allongé sur le plancher il m'a regardé en se frottant les yeux. Puisque j'avais apporté le verre d'eau froide, je pouvais aussi bien m'en servir ; alors je l'ai versé tranquillement sur sa figure ensommeillée. Pour le coup ça l'a réveillé. Il s'est levé d'un bond, le poing serré. J'avais posé le verre sur la cheminée, j'étais prêt.

– Et alors ? j'ai dit.

– Tu vas me le payer.

– Qu'est-ce qui t'arrête ?

– Tu vas me le payer. Attends un peu voir.

– Pour sûr, j'ai dit. Tu peux prendre ma cuvette dans la cuisine pour finir de te laver la figure. Et y a de quoi manger sur le fourneau si tu veux. Tu ferais mieux d'avaler un morceau.

– J'ai pas besoin qu'on me nourrisse.

– Ouais, j'ai fait. J'ai des habits de travail par là, un pantalon et une chemise. Ça sera peut-être un peu grand, mais dans le champ y aura pas de femmes pour te regarder.

– Si t'essaies de m'amadouer, trouve aut'chose, il a dit.

– Ouais. Écoute, j'vais là-bas chercher le tracteur. J'veux qu't'aies fini de manger quand je reviendrai – si tu veux manger – et que tu m'attendes au portail.

– Sinon tu vas lâcher le patron blanc contre moi, fayot de nègre ?

– Je tâche de l'éloigner de ta carcasse, j'ai répondu. Tu peux suivre mes conseils ou t'asseoir dessus, c'est à toi de décider.

J'ai gagné la porte et je me suis retourné. Il continuait à me regarder.

– Des habits et du manger à côté – et tu m'attends au portail. Si j'te laisse dans les quartiers et qu'il soit obligé de venir te chercher avec le camion, tu maudiras le jour où ta mère t'a mis au monde. Ça pourrait bien t'arriver avant que tout ça soit fini, du reste.

Il me regardait toujours quand je suis sorti de la pièce.

Le temps que je lubrifie Hannah la Rouge et que je lui donne assez d'eau et de carburant, le soleil se glissait au-dessus des arbres. Quand j'ai redescendu les quartiers, j'ai vu John et Freddie qui m'attendaient devant chez John. John et Freddie étaient deux corniauds, John un grand corniaud et Freddie un petit. J'avais jamais vu deux hommes ramasser autant de maïs ; à l'église le dimanche ils criaient plus fort que deux femmes réunies. Le comique de l'histoire, c'est que John et Freddie étaient justement chargés de l'ordre à l'église, ils étaient censés s'occuper des femmes quand elles commençaient à crier. Mais ça se terminait toujours pareil. Quand Freddie se mettait à crier, deux ou trois femmes robustes suffisaient à le maintenir, mais fallait sept ou huit hommes pour venir à bout du grand John.

John et Freddie ont sauté dans la remorque avant que le tracteur s'arrête pour de bon. Puis, en arrivant plus bas dans les quartiers, j'ai vu Joli-Cœur Marcus sortir dans la cour. Il portait une chemise verte à manches courtes et un pantalon marron. Pas de chapeau – même pas un mouchoir autour du cou. Il avait des souliers de ville blanc et marron.

– Non mais, où tu crois aller comme ça ? je lui ai demandé.

Il m'a pas répondu ; il m'a même pas jeté un coup d'œil. Il est monté dans la première remorque vu que John et Freddie étaient dans l'autre. John et Freddie, en kaki, le chapeau de paille sur la tête, le regardaient. Ils avaient envie de rire (c'était une paire de rigolos, ces deux-là), mais on voyait aussi qu'ils avaient peur de lui.

– Tu ferais mieux de rentrer passer aut'chose, mon garçon, j'ai dit à Marcus.

Il a pas bougé.

– Y a un chapeau dans ma chambre sur l'armoire, Marcus.

Il a toujours pas fait un geste. J'ai sauté du tracteur et j'ai couru à l'intérieur chercher le chapeau, j'étais déjà en retard. Pendant que j'y étais j'ai aussi pris une chemise kaki et je l'ai jetée dans sa remorque. Il a rien ramassé, ni chapeau ni chemise ; il les a même pas regardés ; il se tenait simplement debout les bras croisés, le dos contre le bord de la remorque.

J'ai passé la première et j'ai dirigé Hannah la Rouge vers le champ. Tous les gens des quartiers étaient levés là tantôt. Ceux qu'avaient pas besoin d'aller aux champs pour Marshall Hebert se préparaient à partir sur leurs petits lopins. C'était la saison de la cueillette du coton en plus du ramassage du maïs. La plupart des femmes qu'on voyait portaient une vieille robe et un grand chapeau de paille jaune, un fichu ou un foulard noué sous le chapeau.

Les cultures de la plantation (ce qu'il en restait présentement) étaient loin dans les champs. La terre de devant était pour les métayers. Les Cajuns avaient les terres les plus en avant, les meilleures, et les gens de couleur (ceux qui s'accrochaient encore) avaient les terres du milieu, les plus mauvaises. Les champs de la plantation se trouvaient encore plus loin, presque à la limite des marais. On devait passer trois barrières, traverser un pâturage (dans le petit matin les vaches étaient paresseuses et voulaient pas s'écarter de notre chemin) avant d'arriver à la parcelle de maïs où on travaillait ce jour-là.

J'ai laissé la dernière remorque sur le terre-plein, et j'ai engagé Hannah la Rouge dans les rangées. John et Freddie ont pris les deux rangées de côté et donné à Marcus la rangée aplatie du milieu. C'était la plus facile, vu que le maïs était déjà par terre, et y avait qu'à avancer et arracher la tige. Mais même en donnant la rangée la moins dure à Marcus, ils savaient qu'ils pouvaient avoir sa peau quand ils voulaient. Ils ont commencé lentement ; ils faisaient que discuter et pouffer de rire entre eux. « Petit, tu sais ci ; petit, tu sais ça… » et tout d'un coup ils partaient à rire d'un truc qu'ils étaient seuls à connaître. Mais Marcus, derrière la remorque dans sa chemisette et son pantalon marron, il soufflait pas un mot. Le chapeau et la chemise à manches longues que j'avais apportés de la maison étaient toujours dans la remorque.

« Attends un peu, j'ai pensé. Attends un peu. Avant que la journée soit finie, on va bien rire ! »

Marcus est resté sur les talons de John et de Freddie pour la première remorque, mais sitôt qu'elle a été chargée et qu'on a commencé à remplir la deuxième, je les ai vus accélérer. Ils allaient pas vite – non, ce serait pour plus tard dans l'après-midi quand Bonbon serait là. Là tantôt ils mettaient pas toute la gomme, comme un bon lanceur au sixième ou septième tour de batte, quand il mène par un bon nombre de points. Mais même cette allure commençait à produire son effet sur Marcus. Déjà il se mettait à tirer deux ou trois fois sur l'épi de maïs avant de le séparer de la tige. Un moment il s'est retrouvé tellement en arrière qu'il pouvait même plus atteindre la remorque en lançant le maïs par-dessus l'épaule.

La meilleure manière de cueillir le maïs, c'est de l'arracher d'un seul coup et de le jeter dans la remorque ou le chariot d'un même mouvement. Mais quand vous prenez trop de retard pour le lancer comme ça, alors faut le jeter par-dessus l'épaule, et c'est là qu'on commence à fatiguer. Parce que en le ramenant en arrière pour le lancer par-dessus votre épaule, vous brûlez deux fois plus d'énergie. Et vous aurez beau être adroit, vous aurez beau être fort, à la fin d'une journée à travailler comme ça, vous serez crevé. C'est ainsi que ça s'est passé avec Marcus. Chaque fois qu'il jetait le maïs par-dessus son épaule, ça lui bouffait un peu plus de force pour le restant de la journée. Et le whisky qu'il avait bu, la fille qu'il s'était tapée la veille au soir n'arrangeaient rien non plus. Le manque de sommeil, le ventre vide, la chemisette verte et le pantalon léger, et la chienne blanche en chaleur là-haut dans le ciel, tout s'accumulait pour aggraver son cas. Temps en temps, quand il traînait trop en arrière, je m'arrêtais. Pendant que j'attendais qu'il nous rattrape, John et Freddie se mettaient à l'ombre de la remorque, ils causaient et rigolaient et se donnaient des claques dans le dos à dire qu'ils s'étaient pas vus depuis dix ans. Sitôt qu'il nous avait rattrapés, ils reprenaient leurs rangées sans lui accorder une seconde de repos. Le temps qu'on finisse le deuxième chargement, Marcus était si claqué que j'ai cru qu'il allait s'écrouler avant de grimper dans la remorque. Mais il a pu grimper, et après avoir accroché l'autre remorque on est repartis vers les quartiers pour le repas de midi.

6

Quand on est arrivés à la maison, j'ai dit à Marcus d'aller manger et de se reposer un peu. Il est descendu du tracteur et il a marché jusqu'à la grille. Il tenait à peine sur ses jambes. En remontant les quartiers j'ai déposé John et Freddie ; après j'ai emmené les deux chargements de maïs dans la grande cour. Les deux autres remorques étaient vides, comme d'habitude. Après avoir laissé les deux miennes devant le silo, donné du carburant à Hannah la Rouge pour l'après-midi, et accroché les deux remorques vides, je suis reparti vers la maison. À mon arrivée, Marcus était assis sur la galerie.

– T'as mangé ? je lui ai demandé.

– J'ai rien.

– Moi j'ai assez pour deux.

– J'veux pas de cadeaux.

– C'est pas un cadeau, je lui ai dit. Tu pourras me repayer plus tard.

Je suis entré, je me suis lavé la figure et les mains et j'ai réchauffé des haricots et du riz que j'avais dans la glacière. Ensuite j'en ai rempli deux assiettes, j'en ai posé une sur la table, et je me suis assis sur le seuil de la porte de derrière pour manger. Après un temps, Marcus est rentré. Je lui ai montré l'assiette d'un signe de tête. Il s'est lavé les mains et s'est mis à table.

– Y t'en ont fait voir, han? j'ai dit.

– Merde, il a fait. J'ai une surprise pour eux. Et pour le contremaître et Marshall Hebert.

– Ah oui? j'ai dit.

– S'ils croient que je vais rester cinq ans dans ce trou, ils se fourrent le doigt dans l'œil.

– Ils comptent te garder sept ou huit ans. Quand tu devras des sous au bazar, ça fera encore plus longtemps.

– Merde, il a répété. Dans sept ans, le nom de Hebert me dira plus rien.

– Quand est-ce que tu comptes te tirer?

– J'vais pas te donner le jour et l'heure.

– Je pourrais aller le répéter, han?

– C'est pas parce que je mange ton manger que j'te fais confiance.

J'ai continué mon repas en regardant dans la cour. Il faisait bien trente-cinq degrés dehors. L'herbe courbée par la rosée le matin s'était redressée.

– Sitôt qu'ils ont fini leur procès de quat'sous, je saute sur la première occasion.

– Pourquoi tu te sauverais pas maintenant?

– Tu parles, c'est ce qu'ils attendent. Je vais faire le mort jusqu'à tant qu'ils y pensent plus.

J'ai levé les yeux vers lui.

– T'as déjà tout calculé ?

– J'avais tout calculé en sortant de taule. Merde, tu crois pas que j'suis parti pour rester quand même ?

– Si, j'crois que t'es parti pour rester. Je sais que t'es parti pour rester.

– Merde, ils vont pas me couper les couilles comme à vous tous ici.

– J'ai toujours les miennes, j'ai dit.

Il a rien répondu, mais j'ai bien vu qu'il me croyait pas.

– Ce type que t'as tué, ça signifie rien pour toi, alors ?

– Un nègre te saute dessus avec un couteau, tu fais quoi ? Tu bouges pas ? Faut l'avoir en premier.

– T'as pas mal de choses à apprendre sur la terre, j'ai dit.

– J'en ai déjà appris plus long que la plupart des gens. Appris et oublié, du reste.

– Sûr, j'ai dit.

– T'en fais pas. Je te paierai pour ton manger.

– Prends ton temps. J'vais nulle part.

Il a continué à vider son assiette.

– Combien ils vont me payer pour mon travail ? il a demandé.

– Ils paient pas les libérés sous caution. Ils te nourrissent, ils t'habillent. Si tu veux aut'chose, faut le faire marquer au magasin là-bas. Ça rallongera ton temps.

– Et ils croient que j'vais rester ? Merde !

– Si j'étais toi, j'irais me chercher des habits au magasin.

– Tu veux dire ces loques que j'vous vois tous porter par ici ? il a demandé.

– Ouais, ces loques-là.

– On me verra jamais avec des frusques de taulard sur le dos. J'ai l'habitude de la soie, moi.

Ma tambouille avalée, je me suis levé et j'ai mis mon assiette dans la bassine sur le fourneau.

– Bon, je vais faire une bonne sieste, j'ai dit. Vers deux heures on reprend le collier.

Il est resté à manger en regardant dans la cour. J'aurais voulu le plaindre, mais Dieu sait qu'il vous aidait pas.

– Tu ferais mieux de te reposer aussi, j'ai dit. John et Freddie faisaient joujou ce matin. Quand Bonbon sera là ils vont plus faire joujou.

– Ces deux tordus et Bonbon, ils peuvent aller se faire foutre.

– C'était histoire de dire, mon gars. À tantôt.

Il faisait trop chaud pour me coucher sur le lit, alors je suis sorti m'allonger sur la galerie. Dix minutes après, je dormais profondément. Vers deux heures, peut-être une ou deux minutes avant, j'étais debout.

7

Il faisait chaud, une vraie fournaise. Des petits singes vous dansaient devant les yeux.

J'ai bu un verre d'eau fraîche et j'ai rempli la bonbonne de cinq litres que j'ai emportée au tracteur. Le temps que je fasse démarrer Hannah la Rouge à la manivelle, j'ai vu John et Freddie descendre la route des quartiers. Ils marchaient presque épaule contre épaule en pouffant de rire. Je voyais pas comment deux types, corniauds ou pas corniauds, pouvaient trouver des raisons de pouffer par une chaleur pareille ; mais ils arrivaient, en habits de travail, brodequins et grands chapeaux de paille, et ils pouffaient. À dire deux poulettes parfumées en chemin pour le bal.

Marcus s'est laissé glisser en bas de la galerie et il est sorti de la cour. J'étais déjà sur le tracteur, John et

Freddie étaient montés dans la dernière remorque, et on regardait Marcus approcher. Il portait toujours sa chemise verte à manches courtes et le pantalon marron ; il avait ses chaussures basses, les mêmes que le matin, et rien sur le crâne.

– Où est le chapeau ? il a demandé.

– Y va te falloir bien plus qu'un chapeau, mon garçon, j'ai dit.

– Où est le chapeau ? il a redemandé.

– Sous le chargement de maïs devant le silo.

– T'en as un autre ?

– Y a un vieux chapeau de feutre accroché après la chaise à l'intérieur. Tu le veux ?

– Non.

– J'ai un mouchoir rouge dans la poche.

– J'ai rien à foutre d'un mouchoir rouge.

– Allez, grimpe, j'ai dit. On perd not'temps.

Il est monté dans la première remorque, et nous voilà en route pour le champ. Dans les quartiers je conduisais lentement : je voulais pas faire voler la poussière partout. Mais après la voie ferrée j'ai changé de vitesse et j'ai laissé Hannah la Rouge nous mener au fin fond des terres.

Seigneur, qu'il faisait chaud là-bas ; Seigneur, qu'il faisait chaud. Mais je disposais d'un avantage ; j'avais le grand parasol et de quoi rêver et oublier la chaleur. Je savais que Hannah la Rouge me garderait sur la route même si je piquais du nez une bonne minute, alors temps en temps, pour oublier le soleil et la poussière, je repensais aux bons moments que j'avais connus avec Billie Jean. Je revoyais la grande bassine, et je nous revoyais danser, et nous dépêcher de rentrer nous mettre au lit. Des fois on attendait pas d'être à la maison ; des fois ça se passait dans l'auto, des fois en plein dans un champ. Une fois, après avoir fini, on est restés couchés là. Y devait y avoir un million d'étoiles dans le ciel, et cette grosse lune, comme une bassine d'eau claire, suspendue au-dessus de nos têtes à dire qu'elle était là rien que pour elle et moi. On est restés couchés, et voilà que tout d'un coup c'était grand jour, et les gens arrivaient au champ.

Ils sont tous partis à rire en nous voyant, et nous, on a pas pu faire autrement que rire avec eux.

Puis y a eu La Nouvelle-Orléans, et puis après fini. Freddie a ouvert la première barrière ; John a ouvert la deuxième, et Freddie encore la troisième. Marcus est pas descendu une seule fois avant qu'on arrive dans la parcelle de maïs.

– Tiens, je lui ai dit en lui donnant mon chapeau de paille. Tu ferais mieux de mettre ça.

Il a pris le chapeau sans dire merci ni rien ; simplement il l'a pris. J'ai sorti mon mouchoir rouge et je l'ai noué sur ma tête. J'avais aussi le grand parasol après tout.

On a donc attaqué la rangée, Marcus au milieu et John et Freddie sur les côtés. Ils travaillaient pas trop vite – assez pour être un pas ou deux en avance sur lui –, mais pas aussi vite encore qu'ils auraient pu s'ils avaient voulu. Mais ça faisait partie de leur plan. Ils allaient le fatiguer peu à peu pendant le premier chargement, et le dernier, quand Bonbon serait là, ils mettraient la gomme pour de bon. Moi je conduisais le tracteur aussi lentement que je pouvais – dans l'intérêt de Marcus – mais fallait quand même que j'aille assez vite pour que le boulot soit fait. Trois hommes devaient remplir deux remorques le matin et deux l'après-midi, et si c'était pas fait, Bonbon savait bien que c'était le chauffeur qui lambinait. Alors je devais maintenir une bonne allure, mais pas trop pour qu'il prenne pas trop de retard.

Vers quatre heures, quatre heures et quart, la première remorque était pleine. Quand je l'ai emmenée au terre-plein pour la décrocher et accrocher la remorque vide, j'ai regardé de l'autre côté du champ de maïs et j'ai vu Bonbon arriver sur l'étalon.

8

Le temps que j'aie fait demi-tour pour repartir dans le champ, Bonbon était là. Sa chemise kaki était trempée de sueur. Son chapeau de paille blanche était relevé sur les bords comme un chapeau de cow-boy ; il avait même des bottes de cow-boy. Sa Winchester pendait à gauche de la selle, et un sac de toile à droite. Un morceau de corde de chanvre était attaché au bout du sac, et je savais déjà ce qui allait se passer.

Personne a dit un mot. D'habitude Bonbon parlait quand il arrivait dans le champ comme ça, mais cette fois il a rien dit. J'ai engagé le tracteur dans la rangée. John et Freddie se sont placés des deux côtés de la remorque, Marcus juste derrière dans la rangée du milieu, et Bonbon juste derrière Marcus, sur son étalon. Le cheval était si près de Marcus, je suis sûr qu'il sentait son souffle chaud sur sa nuque. Ça avait donc commencé. Ils allaient lui montrer là tantôt ce qu'il en coûtait de tuer un homme pour se faire libérer sous caution après. Ils allaient lui montrer (ils se moquaient pas mal de l'autre type pourtant), ils allaient lui montrer qu'il était pas aussi endurci qu'il croyait.

Ça avait donc commencé. J'ai accéléré un peu, que le tracteur roule à la vitesse qu'il doit rouler quand trois hommes cueillent le maïs derrière. John et Freddie se sont mis à lancer les épis comme s'ils étaient venus au monde exprès pour ça. Et le pauvre Marcus, l'étalon noir à un pas derrière lui, faisait ce qu'il pouvait pour pas se laisser distancer. Durant un temps il y est arrivé.

Une rangée, une et demie, puis deux. Mais sitôt qu'on s'est engagés dans la troisième, j'ai bien vu que le whisky et la fille qu'il s'était envoyés la veille produisaient leur effet. Et en le voyant prendre du retard, les deux corniauds ont vraiment mis toute la gomme.

– Grouille-toi, lui a crié Freddie.

J'avais pas progressé de quinze mètres dans la rangée que Marcus en avait perdu cinq ; et j'en avais pas fait quinze autres qu'il avait perdu pareil. Il jetait le maïs par-dessus l'épaule présentement, et vu que la remorque était pleine à moitié, guère plus, j'ai compris qu'il était cuit.

– Grouille-toi, a répété Freddie.

Et j'ai accéléré un peu. Ma foi, j'avais fait tout ce que j'avais pu pour lui. J'avais essayé de le ramener la veille au soir, je l'avais nourri, je lui avais donné un chapeau de paille, je lui avais même proposé des habits de travail. J'avais fait tout ce qu'un bon chrétien, un ancien croyant, pouvait faire.

Pour l'heure, j'ai jeté un coup d'œil en arrière. Y avait John et Freddie à moins de deux mètres de la remorque. Et plus loin, à dix ou douze mètres, y avait Marcus. Sa chemise verte à manches courtes était à tordre ; le chapeau de paille aussi paraissait trempé, même si je suis pas trop sûr d'avoir déjà vu un chapeau de paille trempé de sueur uniquement. Et y avait Bonbon appuyé au pommeau de sa selle, les yeux baissés sur Marcus. Et l'étalon noir à vingt centimètres derrière Marcus – et le pauvre Marcus qui sentait le souffle chaud du cheval sur son cou.

De nouveau j'ai regardé devant. La vieille Hannah poursuivait ses teuf-teuf le long de la rangée comme si rien se passait. Et les tiges de maïs jaunes, brûlantes, se dressaient devant nous et autour de nous comme si rien se passait. Et le vieux soleil à ma droite – blanc, petit et encore fort, brillait sur nous comme si rien se passait. « L'homme, ah l'homme ! j'ai pensé. Y a que lui à se faire du souci pour ce qui lui arrive, parce que rien ni personne s'en préoccupe. Et toi, Billie, tu t'en soucies ? Tu t'en soucies un peu, mon petit poulet ? Et celle avec qui il a couché la nuit dernière, celles à qui il a payé à boire avant de tuer ce type ? Est-ce qu'elles s'en soucient ? Et Toi, Tu T'en soucies ? Je pense pas, autrement Tu nous enverrais une petite brise, Tu crois pas ? Remarque, je demande pas ça pour moi. Nullement, nullement. D'après moi, un homme qu'est allé à l'école jusqu'à quatorze ans, qui travaille assis, il a pas à se plaindre. C'est pour les autres que je la veux. Surtout pour le retardataire. »

Quand je me suis arrêté au bout de la rangée et que j'ai regardé en arrière, il avait déjà le sac pendu à l'épaule. Voilà comment ça s'était fait : j'étais pas sur place, bien sûr, vu que j'étais sur le tracteur ; mais j'avais déjà vu la chose se produire, et je savais ce qui s'était passé.

– Bon, avait dit Bonbon. Ton bras fatigue, essaie ce truc.

Il avait détaché le sac et l'avait jeté par terre devant Marcus. Marcus l'avait ramassé, il l'avait regardé, mais il savait pas ce qu'il devait en faire.

– Regarde-le bien, avait sûrement dit Bonbon. Avant que le soleil se couche là-bas vous serez mariés ensemble, toi et ce sac.

Sans doute que Marcus était resté à le tripoter un moment, pendant que Bonbon se penchait sur le pommeau de sa selle, les yeux fixés sur lui. Le cheval restait là, à suer un peu et à espérer que Marcus se dépêche de trouver à quoi servait le sac pour pouvoir repartir. Il se fichait pas mal de porter Bonbon (il était né pour porter les hommes), mais il préférait avancer avec Bonbon, ou deux comme lui, plutôt que de rester en plein soleil, un seul Bonbon sur le dos.

Marcus a fini par piger à quoi servait le sac et se l'est passé sur l'épaule. Il s'est mis à cueillir le maïs et à le fourrer dans le sac. Il était si faible là tantôt que des fois il devait tirer à trois reprises sur un épi de maïs pour le détacher. Une douzaine d'épis dans le sac, il avait déjà l'air de peser cinquante kilos. La corde avait déjà commencé à entamer la chemise verte à l'épaule. Cinq épis encore, le sac paraissait deux fois plus lourd. Cinq autres, et le pauvre Marcus pouvait à peine bouger. Et Bonbon qui disait pas un mot, penché un peu sur le pommeau de sa selle comme s'il avait tout son temps devant lui.

Marcus a manqué perdre l'équilibre quand il a voulu balancer le sac sur son dos, alors il l'a laissé tomber par terre et l'a traîné vers le tracteur. Je l'avais garé sur le terre-plein, John et Freddie s'étaient mis à l'ombre de la remorque, et tous les trois on regardait Marcus traîner le sac vers le bout de la rangée. Arrivé au tracteur il s'est reposé dix secondes, puis il a balancé le sac dans la remorque. Il a grimpé dedans et il l'a vidé, puis il a sauté à terre pour repartir dans la rangée. Bonbon n'avait pas bougé – ou plutôt le cheval n'avait pas bougé –, il s'était redressé sur la selle et regardait un faucon voler dans le ciel à sa droite. Y avait un petit pacanier à cinquante ou soixante mètres du terre-plein. Le faucon s'y est posé, il est resté sur une des branches du haut. Bonbon l'a laissé souffler une minute, comme s'il voulait lui accorder une chance ; puis je l'ai vu tirer lentement la Winchester de la bretelle et la porter à son épaule. Le premier coup a fait sauter un morceau de la branche, juste assez près pour que le faucon s'envole. Il a quitté l'arbre et volé à travers le champ. J'ai vu Bonbon tourner lentement la carabine, le soleil briller sur le barillet (un éclair bleuté), et j'ai suivi le faucon des yeux. J'ai entendu le *pi-ouu* de la Winchester, j'ai vu deux ou trois plumes se détacher du faucon, et l'oiseau descendre vers le champ comme une chemise mouillée qu'on a jetée en l'air.

– Un poulet là-bas, Freddie, Bonbon a crié en direction du terre-plein.

– Oui, m'sieur, Freddie a dit en courant déjà vers l'endroit où le faucon était tombé.

Bonbon a rangé la carabine et touché légèrement le cheval pour le faire avancer. Le temps que Freddie revienne avec le faucon, Marcus et Bonbon avaient atteint le terre-plein et Marcus avait grimpé dans la remorque pour vider son sac.

– Où c'est que je l'ai eu? Bonbon a demandé à Freddie.

– Il a plus de cœur, le pauvret, Freddie a répondu.

On regardait tous Freddie qui levait le faucon en l'air. Le faucon était gris et brun presque partout, mais il avait des plumes rouge et noire sur les ailes et le dos. Quand je dis qu'on regardait tous le faucon, je devrais dire qu'on le regardait tous sauf Marcus. Lui regardait Bonbon. Il avait probablement jeté un coup d'œil au faucon, mais après il s'était mis à regarder Bonbon. Mais je le savais pas alors. Je l'ai su que plus tard qu'il avait regardé Bonbon un long moment.

– Si j'avais eu le pistolet j'aurais pu le toucher avec, Bonbon a dit.

– Le pistolet tire aussi loin, m'sieur Sidney? Freddie a demandé.

– Oui, il tire aussi loin, si on sait s'en servir.

– Si quelqu'un sait, c'est vous, m'sieur Sidney.

– Je me débrouille, Bonbon a dit.

Puis je l'ai vu se tourner et regarder Marcus. Il l'a pas regardé en face, mais de côté. Et la manière que Marcus rendait son regard à Bonbon, j'ai compris qu'il le regardait depuis longtemps. C'est donc Bonbon qui m'a fait comprendre que Marcus le regardait à la place de regarder le faucon. Et c'est l'expression de Marcus qui m'a fait comprendre que Bonbon avait fait exprès de le manquer quand il l'avait pas touché sur la branche : il avait tiré deux fois pour montrer à Marcus qu'il était bon tireur.

Bonbon s'est détourné de Marcus et il a regardé le soleil de l'autre côté du champ. J'ai entendu le sifflement du cuir de la selle quand il a fait passer son poids d'un côté sur l'autre.

– Vas-y, Jime, il a dit.

Freddie a attaché son faucon à l'arrière de la remorque avec un bout de ficelle, et Marcus y a accroché son sac par la corde. On est repartis dans le champ, et Marcus a gardé la cadence à peu près jusqu'au milieu. Puis il s'est fait distancer et il a dû reprendre le sac. Bonbon et le cheval sont restés derrière lui tout du long.

9

À notre retour il faisait déjà nuit. Tous les autres étaient rentrés des champs, on voyait la fumée s'envoler de la cheminée des cuisines où les femmes préparaient le souper, et les hommes assis ou couchés sur les galeries en attendant que le manger soit prêt. J'ai déposé Marcus à la maison ; puis j'ai gagné la grande cour. Mes deux premières remorques avaient été vidées et tirées sur le côté, alors j'ai rangé les deux autres devant le silo. C'est ainsi que ça se passait. On ramenait deux chargements à midi, et les gamins les vidaient le tantôt. Puis deux autres chargements le soir que les gamins vidaient le lendemain matin. Et ainsi de suite jusqu'à tant qu'on ait fini. Après on attaquait les foins. Mais il serait pas question des foins avant un mois au moins.

Après avoir décroché les deux remorques de Hannah la Rouge, je l'ai garée près de la remise à outils et je suis allé au bazar acheter à manger. Y avait foule dans le magasin. Le vieux Godeau – avec son pied bot – et son fils Ferdinand allaient d'un comptoir à l'autre. Je savais que je serais pas servi tout de suite, alors je suis passé de l'autre côté me payer une bière ou deux. On pouvait acheter des boissons sans alcool au magasin, et un Blanc pouvait y boire une bière, mais si on était une personne de couleur fallait aller dans la petite salle à côté, la « salle des nègres ». J'arrêtais pas de me dire : « Un de ces jours je vais arrêter ça, je vais arrêter ça ; je suis un homme comme un autre, un de ces jours je vais arrêter ça. » Mais je le faisais jamais. Ou bien j'avais trop soif, ou alors, après avoir travaillé dans le champ tout le jour j'étais trop crevé, je m'en foutais. Alors je suis passé à côté et j'ai pris une bière avec Burl, Snuke et deux ou trois autres types des quartiers. Ils m'ont posé des questions sur Marcus, comment il s'en était tiré avec Bonbon ce jour-là. Je leur ai dit pas trop mal. Ils m'ont regardé en attendant d'en savoir plus, mais j'avais rien à ajouter. Puis Tic-Tac est entrée et je lui ai payé une bière. Tic-Tac était une fille qui vivait toute seule dans les quartiers, elle couchait avec vous si vous la traitiez comme il faut. Moi-même j'avais couché avec elle deux ou trois fois. Mais y avait rien entre nous ; c'était juste amical. Le besoin m'avait pris, je lui avais demandé, et elle avait dit oui. Je lui avais pas donné d'argent parce qu'elle en voulait pas. Mais chaque fois que je la rencontrais quelque part je lui payais un verre, ou si je la voyais à une soirée des quartiers je lui payais un bol de gumbo ou du poisson frit. Ce jour-là je lui ai payé une bière, et on s'est appuyés sur le comptoir pour boire et causer. Elle était pas rentrée chez elle après le champ de coton, et je voyais des traces de sueur sur ses joues. Un type a mis une pièce dans le juke-box et l'a invitée à danser. Elle a dansé avec lui et elle est revenue me trouver. Je lui ai payé une autre bière et je suis parti.

Quand je suis arrivé à la maison, j'ai vu Marcus allongé sur la galerie. On aurait dit qu'on l'avait battu avec un nerf de bœuf et laissé crever sur place.

– Hé ! j'ai crié. Hé, là !

Il s'est redressé lentement et m'a regardé.

– Je t'ai apporté une bière. Viens à l'intérieur.

Il s'est levé lentement lentement et il m'a suivi. J'ai allumé la lumière et je lui ai ouvert la bouteille de bière. Il l'a prise et s'est assis à la table. Je voyais que la corde avait rongé sa chemise à l'épaule.

– Pourquoi tu prends pas un bain ? je dis. Ça ira mieux après.

– T'es pédé ou quoi ? il me sort.

J'ai foncé sur lui, je lui ai arraché la bière et je l'ai jetée par la fenêtre.

– Fous le camp d'ici maintenant, je fais. Fous-moi le camp.

– Je suis désolé, il dit.

– Non, t'es pas désolé, pourriture. Faut qu'on te lèche le cul pour s'entendre avec toi, c'est ça ?

– Qu'est-ce que tu crois ? Te fâche pas. Regarde-moi. Regarde les ampoules que j'ai sur les mains. J'ai travaillé comme une mule toute la journée.

– T'aurais dû y penser avant de tuer ce type.

– Il allait me tuer, Marcus dit, la voix montant à l'aigu. Je t'ai pas dit cent fois qu'il allait me tuer ? Qu'est-ce que j'aurais dû faire, attendre qu'il me bute le premier ?

– Alors t'aurais dû rester à Bayonne. J'en ai marre de ce bordel.

– J'ai dit que j'étais désolé. Qu'est-ce que tu veux de plus ?

Planté là, je le regardais. Je regrettais d'avoir gueulé contre lui là tantôt.

– J'vais m'en aller, il a dit.

Mais il se levait tout doucement, en espérant que j'allais lui dire de rester.

– Assieds-toi, j'ai dit. Y a encore une bière pour toi. Tu peux la boire maintenant ou en mangeant.

– J'peux l'avoir tout de suite ?

J'ai ouvert sa bière et je lui ai donnée ; puis je me suis mis à faire la cuisine. J'avais acheté une livre de saucisses, et j'avais déjà des tomates et des oignons à la maison ; alors j'ai tout mélangé et j'ai mis du riz à cuire pour aller avec. D'habitude je mangeais avant de prendre mon bain, mais puisque Marcus était là pour surveiller la casserole, je suis allé me laver. Quand je suis sorti de la bassine et que je me suis rhabillé, le souper était prêt.

– Je suis pas fait pour ce genre de vie, Jim, Marcus a dit.

– Ah non ?

– Regarde-moi, il a dit en baissant les yeux sur ses habits. C'est pas moi ça.

– Si, c'est toi.

– J'peux pas continuer de la sorte, il a dit en relevant les yeux vers moi.

– Si, tu peux. Y en a bien d'autres qui le font.

– Pas moi.

– Eh ben, t'aurais dû y penser avant de tirer ton couteau.

– Combien de fois je t'ai dit qu'il a tiré son couteau le premier ?

Il avait repris une voix aiguë. Il avait une belle voix jusqu'à tant qu'il s'énerve ; alors elle devenait aiguë.

– Combien de fois je t'ai dit ça ? il a répété.

– Ouais, tu me l'as dit, j'ai fait. Comment tu trouves le manger?

– C'est bon.

– Ça me nourrit.

– T'es un type bien, Jim. Je regrette ce que j'ai dit. Fais pas attention à moi.

– N'y pense plus.

– Regarde-moi, il a dit en tendant les mains. Je peux même pas tenir une fourchette.

J'ai regardé ses mains. Elles étaient à vif et pleines d'ampoules.

– Trempe-les dans de l'eau salée tiède.

– Ça aide?

– Un peu.

– Et mes épaules?

– Baigne-les à l'eau salée. J'vais te donner une serviette. Et demain mets un bout de chiffon sur ton épaule. Tu t'écorcheras moins.

– Ayez pitié, Seigneur Jésus, Marcus a dit. Il avait besoin de mettre une corde à ce sac? Il pouvait pas y mettre une courroie?

– Ça va pas te tuer.

– Non, j'vais pas en mourir, c'est sûr.

– Tu vas t'enfuir? je lui ai demandé.

– Ouais, un de ces jours.

– Si j'étais toi j'essaierais pas.

– J'vais pas supporter ça, Jim. J'étais pas fait pour ça.

– Personne est fait pour ça. Lui non plus.

– Lui, Marcus a dit en laissant tomber sa fourchette dans son assiette, et en me regardant comme s'il allait me sauter dessus. Lui?

– Oui, lui, j'ai répondu.

Marcus voulait toujours me sauter sur le poil, mais crevé et mal en point comme il était, il savait qu'il aurait pas le dessus.

– J'sais pas quoi penser de toi, Jim, il a dit. T'es pas un fayot de nègre, j'crois pas, mais j'sais pas quoi penser.

– Je sais, j'ai dit. Tu ferais mieux de finir de manger, de prendre un bon bain et d'aller te reposer. Demain on remet ça, et ce sera pas mieux qu'aujourd'hui.

10

Après avoir fait la vaisselle, j'ai pris ma guitare qu'était appuyée contre le mur et je suis sorti sur la galerie. Dehors il faisait noir comme dans le ventre du diable. La lune était levée mais elle était encore derrière les arbres. Quelqu'un est passé devant le portail en direction de l'église. J'ai regardé vers le haut des quartiers et j'ai vu de la lumière aux quatre fenêtres de l'église. Y avait une réunion de prières en train de se dérouler. Elles avaient lieu depuis un mois, et elles dureraient encore un mois probable. Aux dernières nouvelles, ils avaient cinq candidats au baptême.

Je me suis installé sur les marches et j'ai commencé à jouer de la guitare. J'ai joué doucement d'abord en pensant à Billie Jean, puis j'ai essayé de l'oublier et j'ai joué sur un tempo plus rapide. Mais en repensant à elle, je me suis remis à jouer doucement, et quand j'ai voulu l'oublier, j'ai repris l'autre air, rapide et fort. Après un temps Jobbo s'est pointé avec son harmonica. Il habitait là, Jobbo, et c'était un as à l'harmonica. Il aurait dû aller dans le Nord gagner sa vie en soufflant dans son harmonica, mais c'était le genre de nègre qu'était né pour vivre et mourir dans le Sud.

Marcus est sorti s'asseoir avec nous. Il avait pris un bain et changé d'habits, il avait meilleure apparence là tantôt.

– Tu joues ? je lui ai dit.

– Un peu.

– Tu veux essayer ?

– Avec mes mains ?

– T'as les mains abîmées ? Jobbo a dit.

– Ouais, Marcus a fait.

– Trempe-les dans de l'eau salée tiède.

– J'l'ai déjà fait.

– Dans une semaine ce sera guéri.

– Bon Dieu, il fait noir ici, Marcus a dit.

– Ouais, c'est vrai qu'il fait noir, Jobbo a répondu en regardant autour de lui à dire qu'il avait jamais vu une nuit aussi noire.

– C'est une église là-bas ? Marcus a demandé.

– Ouais, c'est une église, Jobbo a dit.

– Y a des femmes seules qui y vont ?

– Deux ou trois, j'pense.

– J'veux dire, qui vendent leur cul ?

– Ça j'sais pas, Jobbo a fait.

– J'crois que j'vais aller y faire un tour.

– Encore ? j'ai dit.

– C'est à cause du bain chaud. C'est toujours comme ça quand j'prends un bain chaud, rien à faire pour débander.

On l'a regardé sortir de la cour. Après le portail on l'a plus vu rapport à la barrière.

– Y veut se tuer, han ? Jobbo a dit.

– Bonbon va pas le laisser.

– Non, il va le garder en vie pour un temps. Tu sais, on a enterré ce type aujourd'hui.

– C'est vrai ?

– Ouais, on l'a enterré aujourd'hui. Jack Clairborn est allé à Port Allen. Il a entendu les gens en parler. Les types comme Marcus, y me font de la peine.

– Lui il a pas de peine.

– J'vois bien. Ça lui fait ni chaud ni froid.

Juste à ce moment on a vu des phares d'auto descendre les quartiers. Quand elle est passée devant le portail, on a vu que c'était pas une auto mais le camion. Bonbon allait voir Pauline.

– Lui aussi ça le démange ce soir, on dirait, Jobbo a dit.

– Ouais, on dirait.

– Devine quoi ?

– Quoi ?

– La femme à Bonbon a regardé Bo aujourd'hui.

– La femme à Bonbon regarde les nègres depuis que j'suis arrivé ici.

– Toi aussi elle t'a regardé ?

– Pas toi ?

– Ouais, mais j'suis pas fou, Jobbo a répondu. Mais p'têt' qu'elle vaudrait le coup, pourtant.

– Essaie quand tu veux.

– Non, merci. J'ai pas encore envie de mourir.

J'ai pensé à la femme de Bonbon, une petite femme aux cheveux jaunes, assise sur sa galerie, qui levait les yeux chaque fois que quelqu'un passait devant le portail. Je tâchais d'imaginer quel effet ça ferait, de rebondir entre ces petites cuisses maigres. Et aussi quel effet ça ferait de la voir sourire. Depuis plus de trois ans que j'étais sur la plantation, je l'avais pas vue sourire une seule fois. Je l'avais jamais entendue prononcer une parole non plus mais Tante Margaret, qui travaillait chez eux, disait qu'elle savait parler. D'après Tante Margaret, elle lui disait trois mots, doucement, temps en temps ; ou elle parlait à Tite Bonbon, sa petite fille, temps en temps ; ou à Bonbon quand il était là. Mais c'était pas très souvent. Vu que Bonbon, s'il était pas aux champs ou en train de chasser, il était soit à Bayonne pour vendre quelque chose qu'il avait volé à Marshall Hebert, soit en bas des quartiers dans le lit de Pauline. Alors sa femme lui disait jamais grand-chose. Et je suppose que c'est la raison qu'elle parlait guère à personne non plus. Assise sur sa galerie, elle vous regardait quand vous passiez, à dire qu'elle aurait voulu vous voir entrer, à dire qu'elle attendait que vous tentiez le coup.

– Jouons *Key to the Highway*, j'ai dit.

Je me suis mis à gratter ma guitare, lentement, tristement, parce que pour l'heure j'avais oublié Bonbon et Pauline et la pauvre petite femme de Bonbon. Je pensais à mon bébé à moi présentement, je me demandais où elle était et ce qu'elle faisait. Au bout de deux mesures Jobbo a enchaîné. Si quelqu'un peut jouer un air triste plus tristement que Jobbo, je l'ai jamais entendu, Dieu sait. Ça a duré quelques minutes – je jouais tristement et Jobbo plus tristement encore – et puis j'ai dit à Jobbo d'arrêter, j'en pouvais plus.

– On joue un air rapide, Jobbo.

– D'accord, Jobbo a dit.

Et il a commencé à taper du pied et à claquer des doigts, en faisant : un, deux, trois, quatre ; un, deux, trois, quatre…

11

Dans le champ le lendemain, les deux premières heures, Marcus pouvait à peine se tenir droit. Il portait un pantalon et une chemise de travail kaki que je lui avais passés et le vieux chapeau de paille que je lui avais proposé la veille. Comme j'étais plus grand que lui, il avait une drôle de touche dans mes habits. Et John et Freddie qui jetaient le maïs à dire qu'ils voulaient tout finir en un jour, ça l'arrangeait pas non plus.

Bonbon s'est amené une heure plus tôt que le premier jour, et il a placé son cheval juste derrière Marcus. Marcus a conservé le rythme une rangée, puis il a fallu qu'il prenne son sac. Il se l'est passé sur l'épaule gauche parce que l'autre lui faisait encore mal. Ce détail a pas échappé à Bonbon, mais il a rien dit. Il s'appuyait seulement sur le pommeau de sa selle, les yeux plissés à cause du soleil.

Ça a duré comme ça toute la semaine. Le soleil tout blanc dans le ciel lui accordait pas de répit. John et Freddie non plus, ni Bonbon. Moi, je pouvais pas faire autrement que garder le tracteur à la bonne vitesse. J'ai parlé au Vieux Planteur une ou deux fois, mais je suis sûr qu'Il a pas entendu un mot. Il avait cessé d'écouter l'homme depuis des milliers d'années. Présentement Il fait plus rien d'autre que jouer aux échecs en solitaire, ou des patiences avec un vieux jeu de cartes.

Alors l'homme est obligé de se débrouiller tout seul. Non, il va pas gagner, il pourra jamais gagner ; mais en se battant assez fort et assez longtemps, il peut soulager un peu ses peines. Je veux dire qu'il peut les étaler un peu, comme ça, ça fait moins mal d'un seul coup. C'est ce que Marcus faisait en essayant de rester plus près de John et Freddie. Il y arrivait pas tout du long, non, c'était pas possible ; mais il restait quand même plus près. Tous les soirs quand il rentrait, il se baignait les mains dans l'eau salée pour calmer la douleur. À la fin de la semaine elles allaient beaucoup mieux.

Mais attendez, attendez, je vais un peu trop vite. Je suis déjà à la fin de la semaine, alors que j'aurais dû m'arrêter au jeudi. Parce que jeudi à midi, Marcus a vu Pauline Guerin pour la première fois. Il était sur le tracteur à côté de moi, pas dans la remorque où il avait roulé les autres fois, mais debout à côté de moi présentement. Il me parlait du type qu'il avait tué. Il disait que c'était à cause d'une femme. C'était arrivé dans une boîte de nuit. Y avait foule, il faisait chaud. Y avait des femmes partout, des femmes, des femmes, encore des femmes. Mais il en voyait qu'une. Elle portait une robe rouge –

non, pas rouge ; couleur de vin plutôt. Où qu'elle se tourne, il la regardait. Il avait jamais vu une aussi jolie peau brune. Il la voulait, il se foutait de ce que ça lui coûterait, il la voulait. Il ratait pas une occasion de se mettre sur son chemin. Finalement elle l'a remarqué et lui a accordé un sourire. Bientôt ils étaient en train de danser et il lui débitait son boniment. Il lui avait presque fait franchir la porte quand tout d'un coup, on l'a forcé à se retourner et on l'a expédié par terre. En levant les yeux il a vu le nègre à qui il avait pris un tas d'argent dans les toilettes cette nuit-là. Oh oui, il m'a dit, il avait oublié de me raconter qu'il avait joué toute la soirée et qu'il s'était bien rempli les poches. Eh ben, le nègre qu'il avait battu possédait la femme qu'il tâchait de faire sortir. Le même fils de pute de nègre – et il cognait comme une mule. En tombant il a entendu ce nègre (Hotwater, on l'appelait) dire à ses autres copains nègres de le foutre dehors. Avant qu'il ait pu se relever, deux des potes à Hotwater l'avaient attrapé par les chevilles, et l'instant d'après il était dehors, allongé sur le dos, les yeux sur la lumière jaune au-dessus de la porte. Il s'est remis sur pied en vitesse, il voulait vraiment se tailler, mais il pouvait aller nulle part. La foule avait formé un grand cercle autour de lui et Hotwater et, il disait, ce gros nègre tout en sueur voulait qu'une chose, sa peau. Il arrêtait pas de reculer, de reculer, et le grand nègre arrêtait pas d'avancer. Chaque fois que le nègre le frappait, il tombait. Au bout d'un moment il en a eu assez de tomber et il a commencé à rendre les coups. Le nègre était fort, il cognait comme une mule, il disait, mais il savait pas parer les coups. Il se protégeait pas la figure, et Marcus arrêtait pas de taper dessus comme on tape sur un punching-ball. Il lui massacrait si bien la figure du gauche qu'elle ressemblait à du foie de bœuf.

— Tu sais à quoi ça ressemble, du foie de bœuf ? il me dit. Une sorte de rouge noirâtre ?

– Ouais, je dis, je sais à quoi ça ressemble.

– Ben c'est comme ça que je lui mettais la figure. Rouge noirâtre. Le rouge c'était son sang, le noir sa figure.

Alors quand le nègre a vu qu'il pouvait pas garer sa figure, il a voulu changer de tactique, disait Marcus. Il voulait son couteau là tantôt. Mais le temps que le nègre sorte son couteau, il avait sorti le sien lui aussi. Il a laissé le nègre tenter sa chance deux fois (il avait toujours trouvé qu'il fallait être loyal, quant à lui) ; puis il a planté son couteau dans le ventre du nègre aussi profond qu'il a pu. Quand il a retiré sa main, elle était rouge, il disait. Mais la police était déjà là, et le traînait vers le fourgon.

– Ils étaient sans doute là depuis le début, il a dit. Tout ce qu'ils voulaient, c'était voir un nègre en tuer un autre. Pour ce qu'ils en ont à cirer.

– Et sitôt qu'ils t'ont jeté en taule, t'as fait prévenir ta nan-nan, pas ?

– Ouais.

– Et elle est allée voir Marshall Hebert ?

– C'est ça, il a dit. J'allais pas passer cinq ans à Angola pour ce nègre de mes deux. S'il avait joué franc-jeu il serait pas mort.

– Et c'est tout ce que ça signifie pour toi ?

– Ouais.

Juste à ce moment-là, on a vu Pauline Guerin descendre les quartiers.

12

Pauline portait une robe rose à fleurs et un grand chapeau de paille blanche. Elle marchait lentement – elle marchait toujours lentement, la tête haute comme si elle pensait à des choses très lointaines. Quand on s'est rapprochés elle a souri et nous a fait signe. L'instant d'après on la voyait plus rapport à la poussière.

– Qui c'était ? Marcus a demandé.

– Pauline, j'ai répondu.

– J'l'avais jamais vue.

– Elle habite par là-bas.

– Elle est jolie, Marcus a dit. Elle était un peu comme ça l'autre fille. Mais elle, elle a la peau plus sombre. Elle est mariée ?

– Non, mais c'est tout comme. C'est la chérie à Bonbon.

– À Bonbon ?

– Oui, à Bonbon.

– Ben c'est pas ça qui va m'arrêter.

– Vaudrait mieux, j'ai dit. Ça arrête tout le monde dans les quartiers.

– Moi ça me fait ni chaud ni froid.

À ce moment-là on passait devant chez Bonbon, et quand j'ai jeté un coup d'œil vers la maison, j'ai vu sa femme Louise, assise sur la galerie dans le fauteuil à bascule. Elle regardait Marcus. Il était à moins d'un mètre de moi, et Louise Bonbon à une bonne cinquantaine de mètres de la route, mais je voyais bien que c'était Marcus qu'elle regardait.

– C'est pas sa femme ? Marcus était en train de dire.

Il avait pas remarqué son regard ; il l'avait sans doute pas vue regarder.

– Si, c'est sa femme, j'ai dit.

– Alors il en a deux, han ? Une Noire dans les quartiers et une Blanche ici ?

– C'est à peu près ça.

– Et vous faites rien ? Vous jetez même pas des pierres sur sa maison la nuit ?

– Non, on le fait pas. On attendait que tu nous montres.

– Je vais te dire ce que j'vais faire, il a dit. J'vais prendre la femme noire.

– Sans blague !

Il a sauté à terre pour m'ouvrir le portail. Après avoir rangé les deux remorques devant la grange, j'ai mis de l'eau et du carburant dans le tracteur, et j'ai accroché les deux remorques vides. Puis on est redescendus dans les quartiers.

Louise Bonbon était toujours sur sa galerie et elle regardait toujours Marcus. Je l'avais vue regarder d'autres Noirs des quartiers, mais jamais comme elle regardait Marcus là tantôt. Mais lui, il faisait pas attention à elle. Il pensait à Pauline. L'après-midi il a encore pris du retard et il a dû traîner le sac sur l'épaule, l'étalon noir à vingt centimètres derrière lui. Mais il s'en foutait. Il pensait à Pauline. Il pensait aux mots doux qu'il allait lui susurrer à l'oreille. (Pendant le repas de midi, avant qu'on retourne aux champs, il m'avait expliqué quel amant merveilleux il était, une fois qu'il avait décidé de séduire une femme, elle pouvait pas lui résister.) Marcus était beau garçon, et il le savait. Un mètre quatre-vingts à peu près, il était mince, mais bien bâti ; il avait la peau brune, mais pas trop, et une crinière de cheveux noirs bouclés. Il avait les yeux marron clair, le nez droit, les lèvres minces, et une belle moustache. Marcus avait beaucoup de sang indien dans les veines, et sûrement du sang blanc aussi. Alors il se voyait déjà au lit avec Pauline. Il voyait déjà ces longs et jolis bras autour de son cou, il entendait déjà les profonds soupirs qui sortiraient de sa gorge. Et quand ce serait fini, il resterait couché près d'elle à lui chuchoter des paroles qu'elle avait jamais entendues. Il allait lui dire des choses auxquelles Bonbon n'avait jamais pensé. Comment un Blanc – non, pas un vrai Blanc, un Cajun des bayous mangeur de poissons-chats – pourrait rivaliser avec lui en matière d'amour ? Alors pour l'heure il était bien aise que Bonbon soit sur le cheval. Il était bien aise que le cheval soit si près qu'il sentait son souffle chaud sur sa nuque. Il était bien aise d'entendre le sifflement de la selle chaque fois que le cheval avançait. Même la sueur chaude et salée qui lui coulait entre les yeux pouvait pas le convaincre de détester Bonbon.

Ce soir-là quand je suis rentré de la grande cour, Marcus avait déjà pris son bain, il avait déjà mangé et s'était habillé.

– Tu sors ? j'ai dit.

– J'vais faire ma cour.

– Ta cour ?

– À mademoiselle Guerin.

– Pauline ? j'ai fait en le retenant.

– Oui, oui.

– N'y va pas, Marcus.

– Calme-toi, petit, j'vais pas faire de mal à ton contre-maître.

– N'y va pas, Marcus.

– Si, j'y vais.

Je lui ai serré le bras plus fort.

– N'y va pas, Marcus.

Il restait planté là, un sourire aux lèvres.

– Tu veux qu'il te tue alors ?

– Tu sais bien qu'il va pas me tuer.

– Tente pas le sort, Marcus.

– À tout à l'heure, petit, il a dit en ôtant ma main de son bras et en descendant les marches.

13

Tante Caroline et Pa Bully habitaient dans la même maison que Pauline, mais de l'autre côté. Alors c'est Tante Caroline qui m'a raconté ce qui s'était passé. Pa

Bully et elle, elle disait, étaient assis sur la galerie ce soir-là, et Pauline et Tic-Tac y étaient aussi, mais du côté à Pauline. Pauline avait pris un fauteuil près de la porte, et Tic-Tac, qui venait d'arriver, était assise au bout de la galerie le dos contre un pilier. Y avait des moustiques cette nuit-là. Tante Caroline les chassait à l'aide d'un chiffon blanc (son chiffon à moustiques), et Pa Bully se servait de son vieux chapeau de feutre. Pauline avait un chiffon blanc aussi (un lange de bébé peut-être), et Tic-Tac un morceau de carton. Temps à autre Tante Caroline entendait Tic-Tac claquer le carton contre son bras ou sa jambe.

La deuxième cloche avait sonné pour l'église et Tante Caroline voyait des gens passer devant le portail pour se rendre à la réunion de prières. Elle tâchait de se rappeler la dernière fois qu'elle était allée à l'église. Elle en a même parlé à Pa Bully. (Elle l'appelait pas « Pa Bully », mais « monsieur Grant ». Et lui l'appelait « Miss Caroline », pas « Tante Caroline » comme nous autres.) Vieux comme ils étaient, elle lui a dit, ils auraient dû être à l'église. Ils allaient bientôt mourir, elle a ajouté, et ce serait pas convenable que les gens chantent et prient devant eux dans leurs cercueils, vu qu'ils avaient pas été à l'église depuis une belle charge de temps.

– T'as raison, Pa Bully a dit. Si fait, t'as raison.

Mais il avait beau dire, Tante Caroline savait que Pa Bully était pas près d'aller à l'église. Il avait pas mis les pieds à l'église depuis une vingtaine d'années.

Tante Caroline écoutait les chants qui venaient de l'église depuis quelques minutes quand elle a vu quelqu'un monter l'allée. Elle a pas su que c'était Marcus avant qu'il prononce une parole.

– Mademoiselle Guerin habite ici ? il a demandé.

Tante Caroline l'a regardé, mais elle a pas répondu. Pauline l'a entendu demander après elle, mais elle a même pas tourné la tête. Le silence a duré près d'une minute. Tic-Tac a giflé un moustique sur son bras, puis le silence a repris. Marcus avait toujours pas bougé. On aurait cru qu'il allait jamais bouger, disait Tante Caroline, alors elle a fait signe à Pauline de l'autre côté.

Marcus a commencé à monter les marches, puis il est redescendu. Tante Caroline et Pa Bully avaient une barrière de barbelés qui montait sur la galerie jusqu'au mur. Cette barrière, on l'avait mise, selon Tante Caroline, pour obliger les deux petits mulâtres de Pauline et Bonbon, de vrais diables, à rester de leur côté. Mais ça servait à rien d'avoir mis cette barrière de barbelés. Les deux mioches l'avaient chevauchée si souvent qu'une grande personne pouvait l'enjamber sans toucher un seul fil.

Mais en voyant la barrière, Marcus a changé d'avis et il est ressorti de la cour. Un instant plus tard Tante Caroline le voyait remonter l'allée de Pauline.

– Mademoiselle Guerin, il a fait.

Pauline a pas répondu et Marcus s'est assis sur les marches. Le silence est revenu. Temps à autre Tante Caroline agitait son chiffon quand un moustique lui chantait aux oreilles. Pa Bully avait troqué son chapeau contre sa pipe là tantôt, et chaque fois qu'il entendait ou sentait un moustique voler vers lui, Tante Caroline l'entendait tirer doucement sur la pipe de maïs, puis elle voyait un petit filet de fumée s'élever.

– Monsieur Grant ! Tante Caroline a dit d'un ton de mise en garde.

Parce que, d'après elle, elle avait surpris Pa Bully à jeter des coups d'œil de l'autre côté de la barrière, où il avait que faire de regarder.

14

Tante Caroline avait dit « monsieur Grant ! » d'un ton de mise en garde de la sorte depuis que l'autre homme avait commencé à venir dans cette maison : sept ou huit ans auparavant. L'autre s'était jamais assis sur la galerie. Il avait pas besoin, vu que tout avait commencé bien avant qu'il vienne là. Ça avait commencé dans les champs, où il avait tous les droits d'appeler Pauline dans une parcelle de maïs ou de coton ou de canne, ou bien dans le fossé – ce qui se trouvait le plus près – pour qu'elle s'allonge et relève sa robe. Et quand il avait satisfait son envie, il remontait à cheval à dire qu'il s'était rien passé. Et elle rabaissait sa robe et retournait à la tâche qui l'avait occupée avant qu'il l'appelle. Les autres femmes lui disaient rien, et elle non plus disait rien – à dire qu'il était rien arrivé du tout.

Mais il était arrivé quelque chose à Bonbon. Au début il couchait avec toutes les femmes, n'importe laquelle. Quand l'envie le prenait, il appelait la première à proximité. Mais après avoir été avec tant de femmes, il en a plus voulu qu'une. Et quand elle a vu la tournure que ça prenait, elle a compris que c'était sa chance de se rendre la vie un peu plus agréable.

– J'en ai assez des champs, elle lui a dit. J'veux aller à la grande maison. Je cuisinerai, je serai la bonne, mais les champs j'en ai assez.

Bonbon a annoncé à Marshall Hebert qu'il lui amenait Pauline. Marshall Hebert pouvait rien dire, vu que Bonbon savait déjà des choses sur son passé. Il lui a dit de l'amener ; puis il a essayé d'annoncer la nouvelle à Miss Julie Rand avec ménagement. Mais il aurait pu épargner son souffle, d'après Tante Caroline, vu que Miss Julie s'y attendait depuis un bout de temps.

Quand Pauline est venue à la grande maison, elle a cessé de porter les robes de quat'sous qu'elle portait aux champs. Présentement elle avait des robes claires imprimées de fleurs. Elle a acheté deux grands chapeaux de paille blanche – l'un avec un ruban rouge, l'autre avec un ruban vert. Elle mettait des mocassins, pas les gros souliers que les femmes portaient aux champs. Mais Pauline avait seulement changé ses habits ; elle-même avait guère changé. D'après ce que j'ai entendu dire, et ce que je savais d'elle, elle avait jamais été bavarde. Elle était bonne avec tout le monde et montrait beaucoup de respect aux vieilles personnes de la plantation. Elle allait pas à l'église, mais on l'avait jamais entendue en parler en mal. Quand elle a commencé à travailler à la grande maison, beaucoup de gens des quartiers ont pensé comme elle : ils savaient bien que si longtemps qu'elle vivrait sur la plantation, elle devrait coucher avec Bonbon s'il voulait. Alors pourquoi ne pas en tirer parti ? Pourquoi ne pas rester à l'abri du soleil ? Pourquoi ne pas porter de plus beaux habits, et manger mieux ? Y en avait aussi qui prétendaient que de tous elle était la plus grande pécheresse. Ils faisaient tout ce qu'ils pouvaient pour lui faire du mal, mais elle, elle prenait leurs insultes avec un petit sourire qui voulait dire : « Si c'était vous qu'il avait choisi, où vous seriez là tantôt ? »

C'est pas longtemps après l'entrée de Pauline à la grande maison que Tante Caroline a commencé à mettre en garde Pa Bully rapport à ses yeux et à sa langue. Elle disait jamais : « Mêle-toi de tes affaires » ; elle disait jamais : « Regarde donc par ici » ou « Bouche-toi les oreilles ». Elle disait deux mots seulement : « Monsieur Grant ! » et Pa Bully comprenait exactement ce qu'ils voulaient dire, ces deux mots. Ça avait commencé le premier soir que Bonbon était venu. C'était l'été pareil que présentement, il avait attaché son cheval au portail et marché vers la maison à croire que c'était la sienne. Il avait pas parlé à Tante Caroline et Pa Bully. Il avait dit quelque chose à voix basse à Pauline, qui était assise dans un fauteuil près de la porte, et elle l'avait suivi à l'intérieur. Ils avaient causé quelques minutes, puis ils s'étaient mis au lit. Tous ceux qu'ont déjà dormi sur un matelas de cosses de maïs savent bien le bruit qu'il peut faire, et les gémissements de Pauline de l'autre côté de la cloison n'arrangeaient rien du tout.

– Dieu tout-puissant, Pa Bully a dit. Qu'est-ce qu'il fait donc là?

– Monsieur Grant! Tante Caroline a dit d'un ton de mise en garde.

Après un temps Bonbon est sorti, il est monté à cheval et il est parti, et quelques minutes plus tard Pauline est revenue sur la galerie. Tante Caroline et Pa Bully faisaient mine de rien avoir entendu. Plus loin dans les quartiers les fidèles chantaient dans l'église.

– C'est pas Cobb qui mène le chœur? Pa Bully a demandé à Tante Caroline.

– On dirait bien sa voix, Tante Caroline a répondu. Elle a écouté chanter un moment.

– C'est lui, elle a ajouté. Qui d'autre a une aussi grosse voix?

15

Moins d'un an après cette nuit-là, Pauline a eu des jumeaux. Pourtant elle était toujours pas amoureuse de Bonbon. S'il l'avait quittée, elle aurait été avec un autre qui aurait été bien content de l'avoir. Pas parce qu'elle avait appartenu à un Blanc, mais parce qu'elle était toujours aussi convenable que n'importe quelle femme noire de la plantation pouvait le rester dans le voisinage de Bonbon. Mais il l'a pas quittée, il venait la voir plus régulièrement là tantôt. Il prenait pas les jumeaux pour les faire sauter sur ses genoux comme il ferait plus tard avec sa petite fille, mais il leur apportait du manger et des habits. Il leur donnait des jouets à Noël, il leur donnait des sous le samedi pour la quête à l'école du dimanche. Non, il donnait pas les sous aux enfants, il les donnait à Pauline, qu'elle leur donne. Vu que lui et les jumeaux pouvaient jamais être proches. Ils pouvaient jamais l'appeler papa, même s'ils l'entendaient souvent au lit avec maman. Ils portaient même pas son nom. Ils s'appelaient Guerin comme leur mère. Billy et Willy Guerin, et sûrement que le Seigneur a jamais souffert pour des Billy et Willy plus vilains que ces deux-là.

Bonbon était amoureux de Pauline quand il l'a amenée à la grande maison, mais il a fallu des années pour que Pauline se prenne d'amour pour lui. Elle voulait pas tomber amoureuse de ce Blanc, vu qu'elle savait qu'il pourrait rien en sortir de bon. Elle savait qu'elle devait être à lui si longtemps qu'elle vivrait sur la plantation, et si longtemps qu'il voudrait d'elle, mais elle voulait pas avoir de sentiment pour lui. Elle voulait que ce soit bonjour, bonsoir, et pas plus. Elle croyait qu'après un temps ça cesserait, toute façon.

Mais ça n'a pas cessé. Tante Caroline disait que Bonbon était jamais resté une semaine sans venir, après avoir commencé. Il venait hiver comme été. Quand il faisait beau généralement il venait en camion. Quand il avait plu il venait à cheval, autrement le camion s'embourbait. Souvent en descendant les quartiers il était trempé, et fallait qu'il se change devant la cheminée, qu'il s'enveloppe dans une couverture durant que Pauline séchait ses habits sur le dossier d'une chaise.

Au bout de tant d'années, Pauline a fini par se prendre d'amour pour Bonbon. Elle a pas pu s'en empêcher. Elle savait qu'il l'aimait plus que sa femme en haut des quartiers ou sa famille qu'habitait près du fleuve.

Le matelas de cosses de maïs faisait plus tant de bruit. Il avait plus besoin vu que présentement Bonbon et Pauline s'aimaient plus doux – plus tendre. Tante Caroline et Pa Bully entendaient à peine ce matelas de leur chambre. Les jumeaux qui dormaient dans la cuisine l'entendaient sûrement pas non plus.

Mais c'était pas le seul endroit où Pauline et Bonbon faisaient l'amour. Des fois ça arrivait à la grande maison, pendant qu'ils obligeaient Bishop, le majordome de Marshall Hebert, à faire le guet pour que son patron les surprenne pas. Il détestait ça, Bishop, mais comment faire autrement ? S'il avait dit à Marshall que Bonbon était allé plus loin que la cuisine, Bonbon ou même Marshall l'aurait tué. Alors il gardait bouche cousue. Il sortait sur la véranda de devant et il faisait le guet comme Bonbon lui demandait. Comme il aurait pas dû être là, à moins de balayer ou de servir quelqu'un, fallait qu'il reste caché. Y avait un palmier à gauche de la galerie, il devait rester derrière tout le temps. Des fois ça durait une heure. Si Bonbon s'endormait il devait rester encore plus longtemps.

Marshall a jamais surpris Pauline et Bonbon, mais même si ça s'était produit, il aurait sûrement rien fait. Bonbon savait déjà quelque chose sur lui, et tant qu'il aurait cette arme, Marshall avait les mains liées, quoi que Bonbon fasse. Pareil pour le vol. Marshall savait bien que Bonbon le volait. Il avait vu une lanterne briller dans la grange la nuit ; il avait entendu les gosses rigoler là-dedans tout en écossant le maïs que Bonbon allait vendre à Bayonne le lendemain. Marshall avait vu des cochons disparaître, des vaches, et même des balles de coton qui s'étaient envolées de la grange. Mais vu qu'il y pouvait rien, il faisait comme si c'était pas vrai.

Bonbon était un homme simple et brutal, comme Tante Caroline le décrivait. Il était brutal parce qu'il avait été élevé dans un monde de brutes, à une époque de brutes. Ceux de la grande maison lui avaient donné un cheval et un fouet (oui, il avait un fouet au début), et on lui avait dit de chevaucher derrière les nègres dans les champs et de les faire trimer tant qu'il pouvait. Il l'a fait, mais il est allé plus loin ; il est tombé amoureux de l'une des femmes noires. Il pouvait pas se contenter de la prendre comme il était censé le faire, comme on l'avait autorisé – non, il avait fallu qu'il en tombe amoureux. Quand les petits sont arrivés, il les a aimés aussi. Il pouvait pas leur dire qu'il les aimait, il avait pas le droit. Il l'a sans doute jamais dit à Pauline, peut-être qu'il se l'est jamais avoué à lui-même. Mais il le ressentait, alors il tâchait de le montrer en leur donnant des jouets et des habits. Non, non, il leur donnait jamais, il les donnait à Pauline, qu'elle leur donne. Quand ils ont eu cinq ans, il leur a donné une carabine à air comprimé pour qu'ils jouent avec ensemble. Sitôt qu'ils ont su tirer, Tante Caroline disait, plus personne a été en sécurité dans les quartiers, et plus rien non plus. S'ils tiraient pas sur un autre enfant, ils tiraient sur un chien ou un poulet. Ils avaient fait un trou dans la nuque de la petite fille à Jobbo, et Jobbo avait dû l'emmener chez le docteur et payer la note du docteur lui-même. Ils ont tiré sur la mule de Charlie Jordan, qu'a jeté Charlie dans le fossé. Pendant qu'il essayait de se relever, Billy et Willy continuaient à lui tirer dessus. Charlie a jamais pu remonter sur la mule. Il s'est sauvé d'un sens, la mule de l'autre.

Le lendemain du jour où les enfants ont reçu leur carabine, Tante Caroline racontait, elle a remarqué que son meilleur coq marchait pas droit. Il paraissait soûl. Il savait pas s'il voulait aller à droite ou à gauche.

– Qu'est-ce qu'il a, il est fou ce poulet ? Tante Caroline a dit. Me dites pas que ces deux ou trois petites poules ont fini par l'éreinter. Monsieur Grant, attrape donc ce poulet pour moi, elle a dit à Pa Bully.

Pa Bully était assis sur la marche du bas, il égrenait du maïs et le jetait par terre. Tous les autres poulets venaient en courant ramasser le maïs – tous sauf le coq. Il trébuchait à gauche, il trébuchait à droite ; et en arrière, et en avant. À dire un enfant qui marche sur une balustrade en tâchant de garder son équilibre.

– Chip, chip, chip, Pa Bully faisait.

En fin de compte le coq est arrivé en trébuchant devant les marches. Pa Bully l'a attrapé sous les ailes.

– Les deux yeux crevés ! il a dit. Ils ont dû tirer vite pour lui crever les deux yeux de la sorte.

Tante Caroline a emporté le coq de l'autre côté pour montrer à Pauline ce que ses gamins avaient fait. Pauline et Bonbon étaient dans la cuisine, Bonbon près de la fenêtre, en train de boire du café. Pauline, assise à la table, coupait des gombos.

– Tu vois ce que ces petits chenapans ont fait à mon coq ? Tante Caroline a dit à Pauline.

– Oh, Tante Caroline, je suis désolée, Pauline a dit. Ce fusil cause rien que des désagréments, elle a ajouté pour Bonbon.

Bonbon a bu une gorgée de son café sans répondre.

– Je vais vous le payer, Pauline a dit à Tante Caroline.

– Me le payer ? Tante Caroline s'est exclamée. Me payer ce coq ? Ce coq fait de l'ouvrage pour cinq sur cette plantation, et tu vas me le payer ? Comment tu vas faire ? Me donner cinq coqs ?

– Je suis désolée, Tante Caroline.

– Sois désolée tant que tu veux, Tante Caroline a dit en secouant le coq devant la figure de Pauline. Si j'attrape un de ces petits chenapans de mulâtres de mon côté une seule fois, je l'empoisonne. Tu m'entends, je l'empoisonne, le petit salaud.

Bonbon a pas prononcé un mot. Il regardait même pas Tante Caroline. Debout dans la cuisine, il sirotait son café.

Tante Caroline a pas empoisonné Billy ou Willy, elle a seulement fait mettre des barbelés sur la galerie. Pour ce que ça a servi ! Les gosses montaient sur la barrière et la chevauchaient comme un cheval. Les pointes les gênaient nullement. Tante Caroline a demandé à Marshall Hebert de faire passer de l'électricité dans la barrière, mais il lui a dit que c'était contraire à la loi.

– Et crever les yeux des poulets des bonnes gens, c'est pas contraire à la loi ? elle a dit à Marshall. Et tirer sur les mules pour qu'elles jettent les vieilles personnes dans le fossé, c'est pas contraire à la loi aussi ?

– Si, Marshall a dit. Mais je crois qu'il faut s'en accommoder.

– Jusqu'à quand ?

– Je sais pas. Bonbon deviendra peut-être généreux un jour, il leur achètera deux carabines. Et peut-être qu'ils vont les charger et se tirer dessus en même temps.

Tante Caroline a attendu, et tout le monde avec elle. Bonbon a jamais acheté les deux carabines.

16

Ça faisait une heure qu'ils étaient assis sur la galerie, personne avait rien dit. Temps à autre Tante Caroline agitait son chiffon des fois qu'un moustique volerait vers elle. En même temps elle entendait Pa Bully tirer sur sa pipe et souffler un nuage de fumée, des fois que le moustique changerait d'avis et déciderait de le piquer lui et pas elle. Tante Caroline regardait plus vers l'autre bout de la galerie, alors elle savait pas ce que Pauline faisait. Mais Tic-Tac flanquait toujours des claques aux moustiques avec son carton, et temps en temps Marcus en écrasait un sur son bras ou sa figure.

C'était si tranquille sur la galerie, Tante Caroline entendait tous les chants et les prières à l'église. Elle songeait que Pa Bully et elle devraient y retourner. Elle se demandait ce que les gens penseraient, si elle entrait à l'église le dimanche matin pour leur dire qu'elle voulait reprendre la Croix. Elle y songeait sérieusement, quand tout d'un coup un des petits à Pauline a déboulé dans la cour.

« Qu'est-ce qui se passe là tantôt ? Tante Caroline s'est demandé. Que... Où est l'autre ? » (Le petit en déboulant dans la cour lui avait fait oublier l'église.) « Quand on en voit un, on en voit deux, alors où est l'autre ? Où... ? »

Et puis elle a vu la poussière. Elle a pas vu le petit, il courait trop vite ; elle a vu la poussière qu'il soulevait le long des quartiers. « Qu'est-ce qu'ils ont bien pu fabriquer ? elle se demandait. Ils sont montés sur le dos du cochon à qui cette fois ? »

À ce moment, elle s'est rappelé l'instituteur. L'instituteur avait eu la tremblote deux semaines durant. Finalement, n'y tenant plus, il avait fui la plantation. Et voilà la raison : le maître avait fouetté un des jumeaux pour avoir battu la petite fille à Jobbo. Lequel l'avait battue, il l'avait pas vu, et la petite était pas très sûre non plus, elle croyait que c'était Billy. Billy a dit que c'était pas lui, c'était Willy. Willy a dit que non c'était pas lui, c'était Billy. Alors le maître a dit :

– Viens ici, Billy.

Et il a fouetté Billy. Alors Willy a déclaré que c'était pas Billy, mais lui, Willy. Et Billy qu'il allait le dire à son papa.

Le maître avait vécu assez longtemps dans le Sud pour savoir qu'un enfant noir va pas voir un Blanc pour l'appeler « papa », alors c'est pas ça qui lui a donné la tremblote. Non, ce qui lui a flanqué une trouille de tous les diables, c'est qu'un des autres petits sache pas tenir sa langue devant Bonbon, et que Bonbon croie que lui (le maître) laissait Billy et Willy l'appeler leur papa à l'école. Même si tous les adultes du lieu et tous les enfants de l'école savaient que Bonbon était le père de Billy et Willy, ils avaient pas le droit de le dire en public. Billy et Willy, en principe, étaient sortis d'un carré de choux. Y avait pas de père. Ou si y en avait un, il était sûrement pas blanc.

Donc le maître a eu la tremblote deux semaines durant, à l'idée qu'un des petits allait pas tenir sa langue devant Bonbon. Il savait que ce jour-là Bonbon et sa douzaine de frères allaient venir le chercher à l'église pour le lyncher. Mais au bout de deux semaines Bonbon s'était toujours pas montré, alors il s'est dit qu'il ferait mieux de partir, vu que la trouille le tuait à petit feu, toute façon.

Tante Caroline pensait à l'instituteur quand le deuxième jumeau a déboulé dans la cour. Arrivés au milieu de l'allée, ils ont freiné tous les deux. Ils se sont approchés de la galerie si doucement, on aurait cru qu'ils avaient jamais fait une sottise de leur vie.

– Comment vous allez, Tante Caroline et Pa Bully ? ils ont demandé.

– Couci-couça, ils ont répondu. Et vous, petits ?

– Bien, merci m'dame, ils ont répondu en chœur.

Ils ont regardé Marcus, mais ils lui ont pas parlé. Ils ont salué Tic-Tac, puis ils sont montés sur la galerie où Pauline était assise près de la porte.

– B'soir, manman chérie, ils ont dit en même temps en l'embrassant sur les joues en même temps.

– Vous êtes pas en train de préparer un mauvais coup, j'espère ? Pauline a dit.

« Ils sont nés pour préparer des mauvais coups, Tante Caroline a pensé. Pourquoi tu leur demandes ça ? »

– Non, manman, ils ont répondu.

– Allez vous laver les mains et manger, Pauline a dit.

– Oui, manman chérie, ils ont répondu.

Ils l'ont encore embrassée. Mais cette fois celui qui l'avait embrassée sur la joue droite l'a embrassée sur la joue gauche, et inversement. Du moins c'est ce qu'il a semblé à Tante Caroline. Car qui pouvait savoir exactement qui faisait quoi ? L'un était l'autre et l'autre était le même. La seule personne au monde à pouvoir distinguer Billy de Willy, c'était Pauline. Même Bonbon en était incapable.

Une fois les jumeaux rentrés dans la maison, le calme est revenu.

– J'crois que j'vais rentrer, Tic-Tac a dit.

– Tu pars, Ticky ? Pauline a fait.

– Ouais, demain matin y a le champ de coton.

Tic-Tac a souhaité la bonne nuit à Pauline, puis à Tante Caroline et Pa Bully, et elle est sortie de la cour. Elle avait rien dit à Marcus.

– Je peux te parler ? Marcus a dit en se levant et en se plaçant devant Pauline.

– Parle, elle a dit.

– Quelque part où on serait seuls.

– Ce que t'as à me dire, tu peux le dire devant Tante Caroline et Pa Bully.

– Viens, monsieur Grant, rentrons, Tante Caroline a dit.

– Non, partez pas, Pauline a dit. Tu t'appelles Marcus, pas vrai ?

– Oui, Marcus a répondu.

– Dis-moi ce que t'as en tête, Marcus.

– J'veux qu'on parle tout seuls.

– Alors tu ferais mieux de partir.

– T'as même pas entendu c'que j'avais à dire.

– Si tu peux pas le dire devant Tante Caroline et Pa Bully, j'ai pas besoin de l'entendre.

– J'veux seulement venir te voir.

– J'ai rien entendu. Tu peux partir.

Mais il a pas bougé. Il restait là à la regarder, à croire qu'il voulait s'approcher et la toucher. Pauline portait une robe vert clair avec des feuilles vert foncé et des fleurs rouges. Elle était bien fraîche et jolie assise dans son fauteuil.

– Et ne reviens pas, s'il te plaît, elle a ajouté. J'veux pas d'embêtements.

– Y aura pas d'embêtements, pas besoin, Marcus a dit.

– Non, y en aura pas, elle a dit en se levant. Bonsoir.

Il a fait un pas vers elle.

– Pauline…

À ce moment-là les jumeaux sont sortis sur le seuil. Tante Caroline les voyait par-devant, elle savait pas s'ils cachaient quelque chose derrière leur dos.

– Rentrez dans la maison, vous, Pauline a dit aux jumeaux.

Ils ont battu en retraite.

– Oui ? elle a demandé à Marcus.

– T'es la plus jolie femme que je connaisse.

– Merci. Bonsoir.

– Je peux te parler un de ces jours ?

– Je parle à tout le monde. Bonsoir.

Elle est rentrée dans la maison. Il a attendu un moment, puis il a descendu les marches.

– Çui-là, il va pas rester longtemps ici, Pa Bully a dit. Quoique, d'un aut'côté, il pourrait bien.

– À six pieds sous terre, tu veux dire ? Tante Caroline a demandé.

– À six pieds sous terre, Pa Bully a répondu.

17

Le lendemain matin Marcus s'est levé bonne heure, et il m'a accompagné à la grande cour pour chercher le tracteur. Il croyait voir Pauline, mais j'aurais pu lui dire qu'elle venait pas travailler avant neuf heures. Ce matin-là dans le champ, John et Freddie lui ont mené la vie dure pareil que la veille et le jour d'avant. À midi il a encore remonté les quartiers avec moi, toujours dans l'espoir de voir Pauline. Il a vu Louise Bonbon assise sur sa galerie, mais il lui a pas plus prêté attention qu'à une mauvaise herbe au bord de la route. Il savait toujours pas qu'elle l'observait. Il l'avait vue regarder dans sa direction, mais il avait toujours pas compris que c'était lui qu'elle regardait. Quand on est arrivés dans la cour, il a encore cherché Pauline. D'abord il l'a pas vue, mais comme on s'apprêtait à redescendre les quartiers, il l'a vue revenir du magasin. Il l'a regardée traverser la cour.

– Jim, elle a dit en me faisant signe quand elle a été plus près.

– Comment ça va, poulette ?

– Comme ci, comme ça, elle a répondu.

Puis elle a regardé Marcus et lui a fait un petit salut.

– Fait assez chaud pour toi ? j'ai dit.

– Trop chaud.

– T'es pas à plaindre, quand même.

Elle a souri, et s'est éloignée vers la maison. Et Marcus, planté là, la regardait marcher ; il regardait la façon que son corps bougeait gracieusement, librement sous sa robe. Je savais où il avait l'esprit. Il l'avait là et pas ailleurs.

– Bon, en route, j'ai dit.

On est repartis dans les quartiers, et j'ai encore vu Louise le regarder de sa galerie.

Le tantôt, Bonbon était encore dans le champ. Marcus a pris du retard, il a dû traîner le sac, la corde à l'épaule. Il croyait toujours qu'il allait s'envoyer Pauline, mais c'était clair qu'il était plus aussi sûr que la veille. On le voyait lorgner Bonbon de côté. Il se demandait ce que Pauline pouvait bien lui trouver pour l'aimer. Il comprenait pas comment elle pouvait aimer un Blanc. Comment c'était possible d'aimer un Blanc ? Il refusait toujours de croire que c'était vrai.

Le soir il est retourné chez elle. Tante Caroline et Pa Bully se tenaient sur la galerie pareil que la nuit d'avant. Tante Caroline chassait les moustiques avec son chiffon, et Pa Bully avec son chapeau. Pauline était assise près de la porte dans son fauteuil, et Tic-Tac au bout de la galerie contre le poteau. Tante Caroline parlait à voix basse avec Pa Bully quand elle a levé les yeux, et vu Marcus entrer dans la cour de Pauline. Elle a entendu Tic-Tac qui disait :

– V'là Joli-Cœur.

Pauline a pas répondu.

– J'espère que qui-tu-sais va pas venir ce soir, Tic-Tac a ajouté.

– Non, demain, Pauline a dit.

Elles regardaient Marcus monter l'allée.

– Bonsoir, il a dit.

Personne a répondu, mais Pauline a hoché la tête. Puis le silence s'est installé. Plus haut dans les quartiers les gens chantaient dans l'église.

– C'est Cobb, il les fait bien chanter là-bas, Pa Bully a remarqué.

– Oui, c'est Cobb, pour sûr, Tante Caroline a opiné.

Plus personne a rien dit pendant dix minutes. Puis toute la compagnie a vu des phares descendre les quartiers. Tic-Tac a quitté son bout de galerie et elle est sortie de la cour en courant presque. C'est la seule qui a bougé. Comme Pauline paraissait pas inquiète, Tante Caroline s'inquiétait pas non plus, elle disait. Pa Bully bougerait pas si elle bougeait pas – et Marcus, à le voir, allait pas se déranger pour l'empereur de Chine.

L'auto s'est pas arrêtée. C'était pas Bonbon, c'était Marshall Hebert. Il a filé jusqu'au bout des quartiers, il a tourné, et il est ressorti des quartiers.

– Bonne nuit, Tante Caroline et Pa Bully, Pauline a dit.

– Bonne nuit, ils ont répondu.

Pauline s'est levée pour rentrer son fauteuil à l'intérieur, et Marcus s'est levé d'un bond aussi.

– Pauline ?

– Je t'ai dit de pas venir ici.

– Pauline ? il a répété en allant vers elle.

– Ne viens pas chez moi.

– T'entends pas, gamin ? Pa Bully a fait.

– Monsieur Grant ! Tante Caroline a dit d'un ton de mise en garde.

– Pauline ?

Il avançait toujours vers elle.

Elle est entrée dans la maison et elle a fermé à clé. Marcus est resté devant la porte un long temps avant de tourner les talons et de redescendre les marches.

18

Samedi sur le coup de midi on avait fini la semaine, et Marcus m'a accompagné à la grande cour. Louise l'a regardé de la galerie quand on est passés devant sa maison, mais il lui a toujours pas prêté cas.

– J'te croyais pas capable d'y arriver, je lui ai dit.

– J'suis capable de n'importe quoi, il a dit.

– C'est ça qui cloche chez toi. Des fois tu devrais être plus modeste.

– Pour quoi faire ?

– Que les gens puissent t'aimer, Marcus.

– Les gens, il a fait. C'est à cause des gens que je suis dans cette mélasse présentement.

– Non, c'est pas à cause des gens. C'est toi qui t'es mis dans la mélasse. Si t'avais pas fricoté avec cette femme, t'en serais pas là.

– Si ce nègre avait pas été de la merde, j'en serais pas là.

– C'était sa chérie, j'ai dit. Tu crois pas qu'il avait des droits ?

– Faut être fou pour mourir pour une femme. Y en a trop, des femmes.

Il est descendu m'ouvrir le portail. Je suis entré dans la cour, il a refermé le portail et il est remonté sur le tracteur.

– En rentrant je vais prendre un bon bain chaud et me reposer, me reposer un moment, il a dit.

– J'vais me reposer d'abord, j'prendrai un bain après.

– J'peux pas me reposer si j'me sens sale.

– T'es un type de la ville, han ?

– Ouais, faut croire, il a dit. J'aime l'eau et le savon, et aussi l'eau de Cologne. Tu peux en prendre si t'en veux. Les filles vont te courir après si t'as du sent-bon.

– Non, merci, j'ai dit. L'eau et le savon me suffisent.

– Bon, reste paysan si c'est ça que tu veux.

J'ai conduit jusqu'au silo et j'ai garé le tracteur. On venait de sauter à terre et de faire le tour de la remorque quand j'ai vu Bonbon traverser la cour. Il levait la main, l'index tendu. On s'est arrêtés pour savoir ce qu'il voulait.

– Vous avez fini, hein ? il a dit.

– Ouais.

Bonbon portait un pantalon de toile kaki propre et bien repassé. Il avait son chapeau de cow-boy blanc, pas le chapeau de paille taché de sueur qu'il portait aux champs tous les jours. Aux pieds il avait des chaussures marron, pas les bottes de cow-boy qu'il mettait tout le temps quand il était à cheval.

Bonbon mesurait un mètre quatre-vingt-dix ou quatre-vingt-quinze, et je dois dire qu'il était impressionnant à regarder. Il était beau – très beau je pense – mais sans rien de joli ni de mièvre. D'après moi, Marcus était joli. Les jeunes donzelles auraient dit qu'il était « charmant ». Mais personne aurait dit de Bonbon qu'il était charmant, comme personne aurait dit qu'il était laid. Il avait une beauté rude. Il était bien bâti – quatre-vingt-dix ou cent kilos. Il avait les yeux gris clair, un long nez bien dessiné, et une moustache couleur de cosse de maïs desséchée. Sa moustache était plus claire que sa figure hâlée, et beaucoup plus claire que la peau rouge de son cou.

– Quelle chaleur ! il a dit.

– Ouais, je vais rentrer, j'ai dit. La paie est à la même heure, han ?

– Ouais, quatre heures, quatre heures et demie.

– Je reviendrai à ce moment-là. Vous voulez que je fasse aut'chose ?

– Non, pas toi, il a dit.

Alors j'ai compris pourquoi il nous avait arrêtés. Marcus avait pas bougé.

– Toi, Bonbon a dit.

Marcus attendait. Moi aussi.

– Les gosses qui déchargent le maïs sont tous tombés malades.

Marcus savait pas où Bonbon voulait en venir. Moi si.

– C'est ton travail ce tantôt.

– Mon travail ? Marcus a fait. Décharger ça ? Décharger tout ce maïs ? C'est moi qui l'ai chargé.

Bonbon a regardé de l'autre côté de la cour. Il avait donné ses ordres ; il voyait pas l'intérêt de prolonger la conversation.

Marcus s'est pris à trembler. J'ai vu ses poings se serrer puis se rouvrir peu à peu. Un instant j'ai cru qu'il allait faire l'idiot et sauter sur Bonbon. Mais Bonbon se faisait aucun souci. Et je crois que c'est ça qui mettait Marcus en rage. Bonbon lui donnait un ordre et après il l'oubliait complètement.

– Fait chaud, Bonbon a dit.

Il a ôté son chapeau pour s'essuyer le front du dos du poignet.

Marcus a levé les yeux vers Bonbon, qui faisait pas attention à lui ; puis il s'est appuyé contre la remorque et il s'est mis à pleurer. Il pleurait si fort que tout son corps tremblait.

– Il peut manger ? j'ai demandé à Bonbon.

– Bien sûr, Bonbon a dit. Qu'il soit là à une heure.

– Viens, j'ai dit à Marcus. Allons au magasin.

Marcus est parti avec moi.

– À tantôt, j'ai dit à Bonbon.

– Ouais, à tantôt, Jime.

En marchant vers le magasin on a pas échangé une parole Marcus et moi. J'ai acheté un pain, une boîte de conserve de viande, un gâteau, deux grandes bouteilles de soda ; puis on est sortis sur la galerie. Comme le soleil tapait sur la galerie, on est allés se mettre sous le gros pacanier à droite de la boutique. Le pacanier était à un mètre, pas plus, de la grand-route. De l'autre côté de la route coulait le fleuve. Fallait enjamber des barbelés et descendre une pente raide et touffue pour parvenir au bord de l'eau. Elle était claire et bleue là tantôt. Plus tard dans la soirée quand il ferait frais, les Blancs seraient là dans leurs barques.

– On peut pousser un homme trop loin, Marcus a dit. J'ai travaillé… Qu'est-ce que je peux faire de plus ?

– Demain tu seras libre.

– Demain ? Demain ? Et aujourd'hui ?

Rien de ce que j'aurais dit ne pouvait arranger les choses, alors je me suis tu. J'ai ouvert la boîte de conserve, j'ai coupé la viande en tranches et je l'ai mise sur le pain. J'en ai donné la moitié à Marcus et j'ai pris le reste. Il a porté la nourriture à sa bouche, puis il s'est mis à trembler et l'a rejetée.

– Pitié, Seigneur, il disait en pleurant.

– Tu ferais mieux de manger.

– Manger ? Manger ?

On aurait cru qu'il voulait me sauter dessus.

– Oui, manger, j'ai dit en lui tendant un autre sandwich. Tiens.

Il voulait pas le prendre. Les larmes roulaient sur ses joues.

– Tiens, j'ai insisté.

Il voulait toujours pas le prendre. Il me regardait, et les larmes roulaient sur ses joues.

– Marcus ?

D'un revers de main, il a fait tomber le sandwich. Le pain est parti d'un côté et la viande de l'autre.

– Bon, j'ai dit. J'ai fait ce que je pouvais.

Je me suis remis à manger. Mon casse-croûte avalé je me suis levé.

– À tantôt, j'ai dit.

– J'dois faire tout ça tout seul ?

– T'as tué ce type tout seul, Marcus.

– C'est pas à cause de lui.

– Non, c'est pas à cause de lui. Mais tu l'as tué, c'est pour ça que t'es là.

J'ai poursuivi mon chemin dans les quartiers. Il devait faire dans les quarante degrés. La poussière était blanche comme la neige, chaude comme le feu. Le soleil était tout en haut du ciel, alors y avait pas d'ombre sur la route. Du moment qu'on quittait la grand-route jusqu'à la maison, on avait rien d'autre sous les pieds que la poussière brûlante.

19

Après avoir pris un bain et fait la sieste, je suis retourné là-bas me faire payer. Marshall Hebert distribuait la paie sur la galerie du magasin. C'était toujours là qu'il payait quand il faisait chaud. S'il faisait froid ou bien s'il pleuvait il s'installait dans la boutique. Marshall était assis derrière une petite table grise, le livre de paie et l'argent posés devant lui. Y avait des piles de billets de vingt dollars, de dix, de cinq et de un dollar ; en monnaie y avait des *quarters*, des *nickels* et des *cents*. Marshall était un grand type lourd avec la figure rouge et les yeux bleu clair. Il buvait beaucoup, et même présentement il avait l'air à moitié ivre. Hiver comme été il portait un costume en crépon et un panama. Sa veste et son chapeau étaient accrochés au dossier de sa chaise. Son col de chemise était ouvert et sa chemise trempée de sueur.

La file de gens qui attendaient leur paie s'allongeait du bout de la galerie à l'entrée des quartiers, ou presque. Il était quatre heures environ, mais la chaleur était toujours infernale. Tout le monde s'éventait, les femmes avec leurs chapeaux de paille ou des bouts de carton, les hommes avec leurs chapeaux ou leurs mouchoirs. Les mouchoirs étaient humides et sales, vu que les hommes s'étaient aussi épongé la figure avec. Bonbon, debout sur la galerie à côté de Marshall, était le seul à paraître supporter sans peine la chaleur. Sa chemise kaki était aussi nette et sèche qu'à midi quand je l'avais vu. Il était sûrement resté assis près du ventilateur dans le magasin. Pour l'heure il était dehors, il buvait un Coca. Il parlait à tous ceux qui montaient sur la galerie se faire payer. Les gens le saluaient de la tête ou lui répondaient. Ensuite ils entraient dans la boutique ou repartaient dans les quartiers. Certains se mettaient au bord de la route pour tâcher de se faire emmener à la ville. Le temps que j'arrive sur la galerie pour toucher ma paie, Bonbon avait fini son Coca, et il restait là, la bouteille vide à la main. Je lui ai parlé, puis j'ai parlé à Marshall. Marshall a pas répondu. Il paraissait trop fatigué pour parler. C'était pas seulement à cause de la chaleur, du reste ; il était comme ça hiver comme été. Je crois que tous les jours de sa vie n'étaient qu'une lourde charge à porter pour lui. Après avoir vérifié le livre il m'a tendu mon argent. Je l'ai remercié et je me suis écarté.

– Donne pas tout à la première fille que tu vois, Bonbon m'a dit.

– Non, j'ai dit. J'peux porter un Coca à Marcus ?

– Vas-y.

Quand j'ai prononcé le nom de Marcus, j'ai vu Marshall me regarder. Je suis entré acheter le Coca, puis je suis ressorti et j'ai fait le tour par la route des quartiers pour arriver au grand portail de la cour. Si j'avais pu passer par l'arrière de la boutique, j'aurais gagné du temps et de la peine. Mais un homme de couleur pouvait pas aller dans la cour par l'arrière de la boutique. Fallait qu'il entre dans la cour par le grand portail. Seuls les Blancs ou les serviteurs de la grande maison pouvaient passer par le magasin.

Quand je suis arrivé près du silo, Marcus avait quasiment fini de décharger la première remorque. Crevé et couvert de sueur comme il était, je voyais pas comment il allait décharger la deuxième.

– Comment ça va ? je lui ai demandé.

Marcus m'a regardé de là-haut, les bras pleins de maïs. À cet instant il me détestait autant qu'il détestait Bonbon et Marshall.

– J't'ai apporté un Coca.

Marcus a jeté la brassée de maïs dans le silo. J'ai ouvert la bouteille avec mon couteau et je l'ai levée vers lui. Il a encore jeté du maïs dans le silo avant de tendre la main pour me prendre la bouteille.

– Tu travailles vite, j'ai dit. Encore quelques heures et t'auras fini.

Marcus a bu son Coca sans un mot. Sa chemise kaki était trempée de sueur. La sueur lui coulait sur les tempes et la figure.

– J'vais à Bayonne, j'ai dit. T'as besoin de rien ?

Il voulait toujours pas répondre.

– Quand t'auras déchargé celle-ci, t'auras qu'à avancer un peu le tracteur.

Marcus a porté la bouteille à sa bouche en regardant de l'autre côté de la cour. Il me regardait même plus.

Je l'ai laissé sur la remorque. J'allais à Bayonne avec Snuke Johnson, Burl Colar et Jack Clairborn. Ils m'attendaient dans l'auto à Snuke quand je suis sorti de la cour. Bayonne était à seize ou dix-sept kilomètres, on a mis vingt minutes. En ville, j'ai acheté une chemise, et après on est allés dans les faubourgs se taper quelques verres. Jack Clairborn a rencontré une de ses anciennes copines qui nous a invités chez elle. Quand on est arrivés, elle a fait venir trois amies. Celle à qui je parlais était plutôt petite et un peu boulotte, et au bout d'un moment on est allés dans la chambre à coucher. Elle a fait comme si elle avait jamais connu un homme comme moi, et je lui ai dit que j'avais jamais eu de meilleure femme qu'elle. Quand je me suis levé elle m'a demandé deux dollars de plus qu'avant de commencer.

– Sûr, j'ai dit en les jetant sur la table de toilette.

– T'es colère maintenant.

– Non, j'suis pas colère, j'ai répondu en enfilant mon pantalon.

– Fais pas ça, elle a dit, toujours couchée. Reviens ici.

– J'ai pas sept dollars de plus à te donner.

– Parle pas comme ça. Reviens ici.

Je me suis assis sur le lit et je l'ai regardée. Mon pantalon était retombé autour de mes chevilles. Elle s'est mise à jouer avec les poils de mon nombril. J'ai envoyé balader mon pantalon et je suis retourné au lit avec elle.

– Le monde est ainsi fait, mon trésor, tu le sais ?

– Sûr, j'ai dit.

– C'est comme ça. On prend ce qu'on peut.

– Sûr.

– Mais maman, elle est pas comme tous les autres par ici. Elle va donner un petit dessert à son trésor.

– Combien ? j'ai demandé.

– Parle pas comme ça. Un steak sans dessert, c'est pas bon pour un homme. Surtout pour le trésor à sa maman.

Après, je me suis levé et je l'ai regardée. Elle était plutôt jolie avec ses grands yeux et ses formes rebondies. J'ai sorti cinq dollars de plus et je les ai posés sur la table de toilette. Elle a secoué la tête.

– T'as pas besoin, trésor.

Je suis revenu vers le lit et j'ai embrassé ses deux bonnes joues si douces. Elle m'a passé les deux bras autour du cou pour m'embrasser fort sur la bouche. Puis elle s'est levée et elle s'est rhabillée. Elle a ramassé tout son argent, et on est sortis.

J'ai vu que Snuke Johnson se faisait du souci.

– Qu'est-ce qui se passe ? j'ai dit.

– Faut qu'on rentre. J'dois apporter à Josie ses trois caisses de bière pour la fête.

– Qu'elle aille se faire foutre, Josie, Burl a dit.

– Par toi, pas par moi, Jack Clairborn a dit en rigolant. Moi c'est Ethel que j'veux.

– T'y vas ou j'y vais ? Burl a demandé.

– À toi, Jack lui a dit. T'as tiré le premier trois.

– Viens-t'en, femme, laisse-moi te donner un peu d'satisfaction, Burl a dit à la fille avec qui il était.

Alors Burl est entré dans la chambre où il est resté une heure à peu près, et tout ce temps Snuke se faisait du mauvais sang. Puis Jack a pris le relais, il a passé une heure ; Snuke était de plus en plus soucieux. Quand Jack est sorti tout le monde attendait que Snuke y aille aussi. On voyait bien que la fille à Snuke, une métisse aux vilains cheveux, mourait d'envie d'y aller. Snuke s'est levé et il est entré dans la chambre avec elle, mais au bout d'un quart d'heure ils sont ressortis. J'avais jamais vu une mine plus déçue que celle de la fille quand elle est sortie de là. La plupart des femmes tâchent de cacher leurs sentiments quand ça va mal, mais celle-là se moquait pas mal que le monde entier soit au courant.

Il devait être neuf heures quand on a quitté les filles, et le temps qu'on aille acheter la bière et qu'on rentre dans les quartiers, il était presque dix heures. Snuke avait rouspété tout le chemin du retour. Josie allait être colère, il disait. Mais c'était pas sa faute. C'était la nôtre, à Burl, Jack et moi, d'après lui.

Quand on est passés devant le grand portail, j'ai jeté un coup d'œil dans la cour : une lanterne était suspendue à l'extérieur du silo. Donc Marcus était encore là.

– Il veut quoi, Bonbon, l'achever en une semaine ? Jack Clairborn a demandé.

– Il essaie de le mater, j'ai dit.

– Il va y arriver du reste, Jack a dit.

– J'en mettrais pas ma main au feu, j'ai répondu.

20

Dans les quartiers, y a deux fêtes le samedi soir. Madame Laura Mae en donne une à l'entrée des quartiers, et Josie Henderson une autre au fond des quartiers. Celle de madame Laura Mae est tranquille et comme il faut. Y a pas du tout de musique, et seuls les gens bien y vont, des chrétiens en général. Sa cuisine est meilleure que celle de Josie, ses pralines, ses biscuits, son gumbo, et je crois bien qu'elle vous en donne plus pour votre argent. Pourtant presque tout le monde va à la fête de Josie parce que chez elle y a de la musique. Elle a même fait accrocher un vieux haut-parleur sur sa galerie, si bien qu'on entend la musique dans toute la plantation. Chez Josie y a une autre pièce où on peut jouer, et une troisième avec un lit pour… ben, vous devinez pour quoi. Josie est la seule célibataire de la plantation, femme ou homme, à disposer d'une maison pour elle toute seule. D'après ce qu'on raconte dans les quartiers, Bonbon n'y était pas étranger non plus. Il touchait une partie des bénéfices de Josie.

Ce soir-là comme tous les soirs, il faisait nuit noire dans les quartiers. Et dans cette obscurité on entendait la musique de la fête de Josie. Le vieux haut-parleur était tout usé et la musique grattait un peu, mais elle attirait quand même le monde.

Quand on est arrivés chez Josie, y avait foule, il faisait chaud et on s'entendait pas. Dans la pièce de devant tout le monde dansait. Snuke, Jack Clairborn et moi on portait la bière. Burl portait rien, lui ; il marchait derrière

Jack. Josie était dans la cuisine quand on est entrés, mais avant qu'on ait pu traverser la pièce elle nous avait rejoints. Josie était petite et trapue, forte comme un homme. Elle savait jurer comme l'enfer aussi. Elle a joué des coudes jusqu'à nous, en regardant fixement Snuke Johnson. Elle transpirait et on voyait bien qu'elle était colère. J'ai cru que Snuke allait laisser tomber sa caisse de bière et prendre ses jambes à son cou.

– J'espère que cette bière est froide, Josie a dit.

– Non, elle…

Josie s'est mise à trembler, à dire qu'elle voulait lui flanquer des coups de poing. Je voyais sa bouche trembler.

– Espèce d'enfant de salaud, elle a dit. Espèce de… Où t'as encore traîné, Snuke Johnson ?

– J'savais pas…

– T'es qu'un menteur et un salaud, Josie a dit. (Elle voulait toujours lui flanquer des coups de poing.) Je t'ai dit que je manquais de bière. Je t'ai dit que je voulais cette bière avant le coucher du soleil. Je te l'ai dit.

– Je…

À ce moment-là, elle s'est rapprochée de Snuke et s'est mise à le renifler. Elle reniflait, reniflait, à croire un chien sur la piste du gibier.

– C'est quoi cette odeur ? elle a demandé.

Mais sans attendre la réponse de Snuke, elle s'est approchée de moi pour renifler, puis de Jack, qu'elle a reniflé aussi. Elle a regardé Burl, mais elle s'est pas approchée de lui ; elle est revenue à Snuke.

– Alors c'est ça, elle a dit. C'est pour ça que tu pouvais pas rentrer.

– J'sais pas de quoi tu parles, Snuke a fait. Tout c'que tu sens c'est le gumbo…

– Quoi ? elle a dit sans le laisser finir.

Elle avait tellement envie de lui taper dessus qu'elle en tremblait. La seule raison qu'elle le faisait pas,

86

d'après moi, c'est qu'elle voulait pas qu'il fasse tomber la caisse de bière.

– Qu'est-ce que tu dis, Snuke Johnson ? Qu'est-ce que tu dis ?

– Rien, il a fait.

Il suait à grosses gouttes là tantôt.

– Si, t'as dit quèque chose. Qu'est-ce que t'as dit de mon manger ?

Snuke a pas répondu. Elle le regardait en tremblant toujours. Elle avait la bouche qui tremblait.

– Donne-moi cette foutue bière, elle a dit en arrachant la caisse des mains de Snuke dans un grand bruit de verre entrechoqué. Tu peux retourner retrouver ta putain si tu veux. Toi, pose cette caisse ici, elle m'a dit à moi.

– J'vais la porter dans la cuisine, Josie, j'ai dit.

– Pose-la ici.

– J'vais te la porter, Josie.

– Pose-la ici, elle a hurlé.

– Bon, j'ai dit en la posant sur la caisse qu'elle avait déjà entre les mains.

Elle s'est tournée vers Jack Clairborn.

– Donne-moi ta caisse de bière.

– Allons, Josie, Jack a dit. T'en as assez déjà. Tu veux attraper une hernie ?

– Mets-moi cette foutue caisse là-dessus avant que je pose les autres pour t'envoyer mon pied au cul.

– Tiens, Jack a fait en posant la caisse brutalement sur les deux premières.

Josie a fait demi-tour avec les trois caisses. Elle chancelait, mais elle a réussi à les emporter dans la cuisine. J'y suis entré quelques minutes plus tard. Il faisait une chaleur infernale là-dedans. Ça sentait le poisson frit et le gumbo. Josie était à genoux, en train de mettre les dernières bouteilles de bière dans un baquet de glace. Je lui ai proposé mon aide mais elle a refusé. Alors je suis allé à la fenêtre prendre un peu d'air frais.

– J't'aurais cru plus malin, elle m'a dit. Tu commences à te conduire même pareil que les autres.

– Il a sûrement oublié, Josie. T'as vraiment manqué de bière ?

– J'en manque depuis huit heures, et les gens arrêtaient pas d'en demander. Je lui ai dit que j'allais en manquer. Je lui ai dit de se dépêcher de rentrer. Merde, s'il voulait pas le faire il avait qu'à le dire.

– Il a oublié, Josie, c'est tout.

– Tu parles qu'il a oublié, elle a dit en se relevant. Il pue à un kilomètre. Toi aussi.

– D'accord. Et si tu me passais un peu de gumbo ? et une bière… un Coca pour aller avec.

Josie était près du fourneau quand j'ai prononcé le mot « bière ». Elle s'est arrêtée et m'a regardé en tremblant un peu.

– Te fiche pas de moi, James. Te fiche pas de moi, t'entends ?

– Excuse-moi, Josie. J'voulais dire un Coca.

– J'te préviens, elle a dit en tremblant un peu. J'suis pas d'humeur à plaisanter.

– Excuse-moi, Josie.

Elle est allée me remplir un grand bol de gumbo et de riz, et je suis allé le manger à la fenêtre. Le gumbo était si pimenté qu'il vous embrasait jusqu'à la racine des cheveux. J'ai bu deux bouteilles de Coca, mais le Coca n'arrangeait rien, au contraire. Le gumbo paraissait encore plus fort.

Mon bol vidé j'ai payé Josie et je suis retourné dans la pièce de devant où tout le monde dansait. Mais y avait trop de monde là-dedans, alors j'ai traversé la foule pour entrer dans l'autre pièce où on jouait. Y devait y avoir une douzaine de types. Jocko Thompson était chef de partie. Il était petit, largement charpenté, avec une grosse tête et des cheveux très crépus. Sa chemise blanche était déboutonnée et laissait voir les poils crépus de sa poitrine en sueur.

Assis à la gauche de Jocko, y avait Black Ned. Il était aussi noir que son nom l'indiquait. Il avait dans les vingt-cinq ans, mais il en paraissait quinze. C'était un de ces types de couleur qui allait paraître quinze ans jusqu'à quarante ans, ensuite on lui donnerait vingt et un ans. Près de Black Ned était assis Sun Brown. Il était pas brun, mais café au lait. Il était grand, maigre, la peau café au lait. Il portait un chapeau de paille jaune entouré d'un ruban rouge et vert où une petite plume rouge était piquée. Quand il jouait, Sun gardait toujours ses cartes près de sa figure. Les frères Aguillard étaient là aussi. Deux d'entre eux étaient assis à la table, les trois autres étaient debout. C'était les cinq plus grands froussards de Louisiane. Ensemble ils étaient capables de vous attaquer ; si vous en attrapiez un tout seul, vous pouviez le faire ramper jusqu'au diable. Le dernier joueur était Murphy Bacheron. Il habitait pas sur la plantation mais il venait là pour jouer. Murphy était un type grand et lourd, le torse comme une barrique, les épaules larges, le cou épais, la voix rocailleuse. Il portait toujours un chapeau melon. Il avait été mêlé à tant de bagarres qu'il avait la figure et le cou tout couturés de cicatrices. Il devait en avoir sur le corps aussi. Il avait entre cinquante et soixante ans, mais il était aussi viril qu'un type de trente ans. On aurait pas pu forcer la bande des Aguillard à sauter sur Murphy.

– Johnson est revenu avec cette foutue bière ? Black Ned m'a demandé.

– Ouais, mais elle est chaude.

– Chaude ? Pourquoi, bordel ?

– Parce qu'elle est pas froide.

– Ah ouais ? Black Ned a fait en hochant la tête. Tu te crois marrant, Kelly ?

– Tu veux une carte, petit ? Jocko Thompson lui a demandé.

– Petit ? Black Ned a dit en tournant son regard vers Jocko. On devient grand comment sur cette foutue plantation ?

– Tu veux une carte, petit ? Jocko a répété en le regardant comme s'il l'avait même pas entendu.

– Qu'est-ce que c'est que cette cambuse, où un homme peut même pas avoir une bière fraîche quand il joue ? Black Ned a dit en ignorant Jocko Thompson parce que Jocko l'avait appelé « petit ».

Il a fait attendre tout le monde avant de regarder ses cartes, puis il a tapé des jointures sur la table.

– Carte.

Jocko lui a donné un neuf. Son jeu était foutu. Il a jeté ses cartes sur la table en jurant de nouveau.

– Carte, Sun Brown a dit, calmement comme tout.

Jocko Thompson lui a servi un quatre. Sun Brown a mis les cartes tout près de sa figure.

– Servi, il a dit.

Puis il a coulé un regard à Jocko Thompson par-derrière ses cartes ; puis il m'a coulé un regard par-dessus ; puis il a rebaissé les yeux vers son jeu. J'ai pas pu m'empêcher de rigoler en douce.

– Servi, le premier frère Aguillard a dit.

– Carte, le deuxième a dit.

Jocko lui a donné un cinq.

– Servi, il a dit après avoir jeté un nouveau coup d'œil à ses cartes.

– Murphy ? Jocko a demandé.

– Servi, Murphy a répondu de sa voix rocailleuse.

– Dix-sept, Sun Brown a fait en montrant ses cartes.

– Moi aussi, dix-sept, le premier Aguillard a dit en montrant les siennes.

– Dix-neuf, l'autre a renchéri en étalant son jeu.

Murphy a retourné deux rois et ramassé le fric. Il a jeté un *quarter* à Jocko Thompson.

– T'arrêtes pas de gagner, han, Murphy ? a dit un des frères Aguillard qu'étaient debout.

– Ouais, Murphy a répondu de sa voix rocailleuse. Tu crois que tu peux faire tourner ma chance ?

C'était Tram qui avait parlé. C'était l'aîné et le chef de la bande. Murphy, assis là, levait les yeux vers Tram. Il avait sa chemise déboutonnée aussi, Murphy, et on voyait ses poils crépus sur son large torse en sueur, à dire un essaim de mouches sur un pacanier trempé par la pluie.

– Cette foutue bière est pas froide encore ? Black Ned a dit. Qu'est-ce qu'elle fabrique Josie, elle les couve elle-même les bouteilles ?

– Tu veux jouer ? Jocko Thompson m'a demandé.

– On va pas te manger, Kelly, m'a dit un des frères Aguillard assis à la table.

– C'est pas ça qui me fait peur.

– Où qu'il est, ton ami taulard ? l'autre m'a demandé.

– Marcus ?

– Ouais, lui-même.

– Il est dans les parages.

– Tu veux dire dans les parages du silo, han ?

Les cinq frères Aguillard sont partis à rigoler. D'après eux c'était la chose la plus drôle qu'ils avaient entendue.

– Y a quelqu'un dans la chambre du fond ? Black Ned a demandé. Si un homme a pas droit à une bière fraîche, ferait aussi bien de tirer un coup.

– Avec quoi, ton poing ? un des frères Aguillard a fait.

– C'est ton habitude ? Black Ned a dit.

– Deviens pas insolent, morveux, a fait l'un des Aguillard qu'étaient debout.

Black Ned a sorti son petit trente-huit à nez court et l'a posé sur la table.

– Remets cette saloperie dans ta poche, Jocko lui a dit.

– J'veux seulement vous faire voir que je rigole pas, Black Ned a dit en rangeant son pétard.

– Quelqu'un va te faire avaler ton pistolet à amorces un de ces jours, a dit un des frères Aguillard qu'étaient debout.

– Sûrement, Black Ned a dit. Kelly, tu vas me chercher une bière ?

– Va la chercher toi-même. J'suis pas ton serviteur.

– Eh ben va te faire foutre, nègre.

– Compte là-dessus, j'ai dit.

Jocko Thompson distribuait. Sun Brown tenait ses cartes tout près de sa figure.

Je suis resté encore une demi-heure, puis je suis sorti. Je rentrerais peut-être dans la partie quand ce serait plus calme, mais pour le moment je voulais pas y être mêlé.

21

Dans l'autre pièce il faisait toujours aussi chaud et y avait autant de monde, mais partout où on se tournait on voyait les gens danser. La musique beuglait. Je suis resté causer un moment avec Jack Clairborn qu'était appuyé contre la cheminée ; puis je suis allé dans la cuisine. Elle était moins peuplée, mais il faisait deux fois plus chaud. Josie remplissait un bol de gumbo pour un type debout près de la fenêtre.

– Comment est la bière ? j'ai demandé.

– Ils la boivent chaude, elle a dit.

– Je ferais mieux d'en prendre une.

– Sors-en une pour lui, Ticky, Josie a dit à Tic-Tac.

– Prends-en une pour toi aussi, je lui ai dit.

Elle a ouvert les bouteilles à un ouvre-bouteilles fixé au mur et m'a donné la mienne. Elle était fraîche mais loin d'être froide.

– Ton ami Marcus a fini de décharger le maïs, Tic-Tac m'a dit. Il est rentré dans les quartiers y a trois minutes. Jim, pourquoi tu l'empêches pas d'embêter Pauline ? On irait pas le raconter à monsieur Sidney, mais il pourrait lui tomber dessus.

– Je lui ai déjà parlé, il veut pas écouter. Si Bonbon lui tombe dessus, tant pis pour lui.

Quelques minutes plus tard Pauline est arrivée. Elle s'est arrêtée dans la pièce de devant pour bavarder un peu ; puis comme elle allait entrer dans la cuisine, un des frères Aguillard est sorti de l'autre pièce et l'a invitée à danser. Elle a dansé avec lui le temps d'un disque ou deux, puis elle est venue nous rejoindre.

– Oh, fait chaud, elle a dit en s'éventant avec un petit mouchoir blanc. Bonsoir, Jim.

– Comment tu vas ?

– Je meurs de chaud.

– Une bière ? je lui ai dit.

– Je veux bien.

– Elle est pas froide.

– Je boirais n'importe quoi. Après faut que je parte. J'ai laissé les enfants tout seuls.

– Tante Caroline a qu'à s'en occuper.

– Oui, mais qui va s'occuper de Tante Caroline ?

Je lui ai souri et elle m'a rendu mon sourire. Je l'ai regardée un long temps pour qu'elle sache que je l'aimais bien. Mais elle savait déjà que je l'aimais bien, et aussi que j'ignorais pas qu'elle avait quelqu'un dans sa vie.

Je lui ai payé une autre bière ; puis elle a acheté des pralines pour les jumeaux et elle est partie. Tic-Tac lui a conseillé de se faire raccompagner, mais elle lui avait répondu qu'elle avait laissé la lumière allumée sur la galerie et que ça irait.

Juste après le départ de Pauline une querelle a éclaté dans la pièce où les hommes jouaient aux cartes. Au bruit, on aurait dit que quelqu'un avait renversé la table. Puis qu'un type en soulevait un autre pour le flanquer contre le mur. Y a eu une grande bousculade là-dedans, et après un temps tout le monde est sorti. Ça gueulait toujours mais les poings n'étaient pas entrés dans la danse. Enfin, jusqu'à tant que Marcus arrive et colle son poing dans la tempe à Murphy Bacheron.

Mais là, je me laisse un peu entraîner. Je parlais de Pauline. En sortant de la cour, qui c'est qu'elle a vu descendre les quartiers, si c'est pas Marcus ? J'étais pas là et j'ai pas assisté à la scène, mais Tante Caroline et Pa Bully étaient encore sur leur galerie, Tante Caroline nous a tout raconté par la suite. La lumière était éclairée sur la galerie de Josie, et sur celle de Pauline aussi, alors elle les voyait marcher l'un vers l'autre. Ils allaient se croiser, et Tante Caroline voyait Pauline se rapprocher du fossé pour s'écarter de son chemin. Mais Marcus a fait pareil. Puis ils se sont arrêtés. Pauline voulait passer, mais Marcus la laissait pas. Ils étaient devant la barrière, et Tante Caroline entendait leurs paroles.

– Laisse-moi passer, Marcus, Pauline disait. Je te préviens.

– Il a quoi, Bonbon, pour que tu viennes quand il te siffle ? Qu'est-ce que t'as, femme ?

– Je te préviens, laisse-moi passer.

– Qu'est-ce que t'as ? il a répété. J'ai travaillé comme un esclave, comme un chien là-bas toute la soirée – et tout ça à cause de lui. Qu'est-ce que t'as ?

– Laisse-moi passer, je te dis.

Il s'est rapproché.

– Me touche pas, elle a dit. T'entends, me touche pas, assassin !

D'un coup de poing il l'a fait tomber par terre. Elle s'est relevée.

– Si je lui dis, il va te tuer d'avoir fait ça. Il va te tuer.

– Espèce de chienne pour les Blancs ! il a dit.

Il l'a encore frappée et elle est encore tombée.

– Laisse cette femme, garnement ! Pa Bully a crié.

– Monsieur Grant ! Tante Caroline a dit d'un ton de mise en garde.

– Tu m'entends, garnement ? Pa Bully a encore crié.

Entre-temps Pauline s'était relevée.

– Chienne ! Marcus lui disait. Sale putain !

Elle courait vers le portail présentement.

– Putain ! il criait après elle.

Là elle courait dans la cour. Elle a couru dans la maison et bouclé la porte. Il a regardé la maison un moment, puis il est parti.

Quand il est entré chez Josie, tout s'est arrêté. Tout le monde a cessé de danser, de causer. Tout ça pour le regarder. Les gens avaient pas entendu le bruit dehors, mais ils avaient entendu parler de lui. Et le voilà en personne.

Marcus s'est frayé un chemin jusqu'à la cuisine. Il portait un pantalon blanc et une chemise de soie bleue, avec une ceinture plissée en tissu marron autour de la taille. Ses chaussures étaient noire et blanche.

– Quoi de neuf, Marcus ? je lui ai dit.

– Donne-moi une bière, il a dit à Josie.

– J'en ai plus, Josie a répondu.

Il l'a pas crue. Il pensait qu'elle voulait pas lui en vendre.

– Elle en a plus, j'ai dit.

– Qu'est-ce que t'as ? Marcus a dit. File-moi du whisky. T'en veux ? il m'a demandé.

– Ouais, un p'tit verre.

– Donne-moi du whisky, il a dit à Josie.

Josie a sorti la bouteille du garde-manger et nous a versé une rasade à chacun.

– Cinquante *cents*, elle a dit.

Marcus l'a payée. Puis il a vidé son whisky d'un trait et il en a demandé un autre.

– T'en veux un autre ? il m'a demandé.

– Non, j'ai dit. Celui-là me suffit.

– T'as accepté pour pas contrarier un ami, han ? il a dit.

– Doucement, mon vieux.

– Va te faire foutre.

– J'aime pas qu'on parle comme ça ici, Josie a dit.

– Ah, non ? Marcus a dit.

– Non, Josie a répondu.

Elle le regardait durement, et elle plaisantait pas. Elle avait la bouteille à la main pour donner du poids à ses paroles.

– Sers-moi, il a dit.

Elle l'a servi. Il a payé et vidé son verre.

– Donne-m'en un autre.

– Ça suffit, Marcus, j'ai dit.

– Sans blague ? Sers-moi, il a dit à Josie.

– C'est le dernier, elle a dit. Et j'veux pas de ton argent.

– Qu'est-ce qu'il a mon argent ?

– Rien, j'ai dit. Viens, on va…

– Me touche pas avec tes sales pattes, il a dit en repoussant ma main.

– Bien, mon gars, j'ai dit.

Il a vidé le verre que Josie venait de lui verser ; et puis il est resté planté là, à respirer fort, profondément. J'ai cru qu'il avait bu le whisky trop vite et qu'il lui était monté à la cervelle. Je lui ai demandé ce qu'il avait, mais il m'a tourné le dos. Il s'est dirigé vers la pièce de devant comme s'il savait où il allait ; et brusquement, comme s'il venait de se rappeler qu'il avait aucun endroit où aller, il s'est arrêté, il a regardé rapidement des deux côtés, et il a collé son poing dans la tempe à Murphy Bacheron. C'était sûrement parce que personne était plus près que Murphy, mais il aurait pas pu plus mal tomber.

22

Durant cinq secondes environ – mais on aurait plutôt dit cinq minutes – personne a bougé. Personne croyait que Murphy venait de recevoir un coup de poing, même Murphy. Si on le connaissait, fallait être fou pour le frapper, alors tout le monde a mis cinq secondes à réaliser ce qui s'était passé. Et puis tout a démarré : Murphy a poussé un hurlement. Pas de douleur, non, Marcus lui avait pas vraiment fait mal ; il a hurlé parce que tout d'un coup il venait de se rendre compte qu'il avait pas participé à une bonne bagarre depuis tantôt un an. Alors il a hurlé et il a filé une banane à Black Ned. Il l'a pas filée à Marcus, il se le gardait pour plus tard ; il l'a filée à Black Ned. Quand Black Ned s'est relevé, il a cogné Jocko Thompson. Jocko est resté sur ses jambes, et il a envoyé son poing dans l'estomac à l'un des frères Aguillard. Un des autres frères l'a vu faire et lui a flanqué un bon coup dans le dos.

Moi, j'étais à un mètre, pas plus, de la porte de derrière quand Marcus a cogné Murphy Bacheron, mais quand Murphy s'en est pris à Black Ned, je me suis retrouvé au milieu de la cuisine. J'avais rien fait pour arriver là, je sais toujours pas comment ça c'est produit. J'ai été mêlé à des bagarres dans les bars et chez des gens, et je sais bien que le mieux c'est de vous tirer aussi vite que vous pouvez. C'était sûrement ce que j'avais en tête (sûr et certain que c'était ça), mais sans savoir comment je me suis retrouvé au milieu de la cuisine. Je me battais pas, remarquez, je tâchais seulement de retourner vers la porte. Mais pareil qu'un type qui veut nager face à un grand vent, chaque fois que j'allais y arriver, la foule me repoussait.

– Maudit sois-tu ! j'entendais Josie rager. Maudit sois-tu, Snuke Johnson !

Josie maudissait Snuke Johnson tout en essayant de parvenir jusqu'à Marcus. Mais entre elle et lui y avait un tas de monde, et chaque fois qu'elle avançait d'un pas, la foule la repoussait d'autant.

– Salopard, Snuke Johnson, elle criait, toujours en essayant d'atteindre Marcus. Salopard !

Puis un type s'est fait flanquer contre le mur, et une flopée de casseroles, de cuillères, de marmites et de couvercles ont dégringolé.

– Qui c'est qui m'a tapé ? a dit la voix de Sun Brown. J'veux savoir qui c'est. Pas question que j'aille taper un autre. J'suis pacifique, moi, et…

J'ai entendu un coup, et un grognement.

– Oh, bon Dieu, j'suis colère maintenant, Sun a fait. Il a recommencé, le salopard.

Puis un deuxième larron est allé valser contre le mur, et autre chose est tombé – une bassine probablement.

– Oh, nom d'un chien, y a personne de plus colère que moi là tantôt, a dit la voix de Sun Brown.

Et Josie qui continuait :

– Espèce de salaud, Snuke Johnson, espèce de salaud !

Durant tout ce temps je tirais sur les gens, je les poussais, je me faufilais entre eux, tâchant toujours d'atteindre la porte de derrière. Il m'est rien arrivé jusqu'à un pas de la porte, je sentais déjà le bon air du dehors, je levais le pied pour sauter. Et puis quelqu'un m'a dit :

– Nous quitte pas maintenant, Kelly. La rigolade fait que commencer.

Et le même, ou un autre, m'a tapé sur l'épaule avec un truc qui devait être un rouleau à pâtisserie, vu le mal de chien que ça m'a fait. Tout en commençant à tomber – j'étais pas totalement dans le cirage –, pendant que je tombais, j'ai attrapé la première chose à ma portée. C'était doux et charnu mais j'en avais cure.

– Ôte tes mains de mon cul, une voix de femme a dit, de très loin. Bas les pattes, sale chien.

Je voulais dire à cette femme que j'avais aucune intention de lui tâter le cul. Tout ce que je voulais, c'était rester debout assez longtemps pour atteindre la porte, vu que si je tombais, j'avais peur d'être piétiné à mort. Je hurlais ces paroles en dedans, mais elles voulaient pas sortir. Même pas dans un murmure.

– Bas les pattes, elle criait en me tapant sur les mains. Bon sang, ôte-les, je te dis.

J'ai reconnu la voix de Josie, et j'ai essayé de lui expliquer pourquoi je me cramponnais, mais les paroles sortaient toujours pas. Elle continuait à me taper. Elle m'a tapé un moment sur une main, puis elle s'est tordue dans l'autre sens pour taper sur la deuxième. En fin de compte je suis tombé. Je suis resté sans bouger un moment, puis je me suis mis à ramper vers la porte. Avant que je l'atteigne, un type s'est écroulé sur moi en m'écrasant la figure par terre.

– Kelly, Black Ned a dit en me tapant sur l'épaule qu'avait déjà tâté du rouleau à pâtisserie. Tu voulais pas aller me chercher une bière, han, bougre de salaud !

Il m'a refilé un coup dans les côtes et sur la tête. Avant que j'aie pu riposter il était déjà dans les airs. C'est arrivé si vite que j'ai rien vu. Un instant avant il était par terre à me taper sur la tête, la seconde d'après il se tortillait en l'air comme un poisson au bout d'une ligne.

Quelqu'un le tenait par le col d'une main et lui flanquait des claques de l'autre.

J'ai encore essayé de ramper vers la porte de derrière, mais y avait trop de jambes autour de moi, je savais pas si j'allais vers la porte ou la fenêtre. Alors quelqu'un a soulevé la bassine d'eau glacée où la bière avait trempé, et m'a tout versé sur le dos.

– Dieu tout-puissant ! j'ai gueulé.

J'ai voulu me relever, mais quelqu'un d'autre m'est tombé dessus. C'était plus doux et plus lourd que Black Ned, alors j'ai compris que c'était pas lui ce coup-là. Et en effet, c'était pas lui, c'était Josie.

– Espèce de salaud, Snuke Johnson, elle a dit. Espèce de salaud !

– J'suis pas Snuke Johnson, j'ai fait.

– Espèce de salaud, Snuke Johnson, elle a répété en me regardant. Espèce de salaud !

J'ai pensé que Josie avait fini par perdre la boule. Je me suis relevé lentement lentement, puis je me suis penché et je l'ai tirée pour la relever aussi.

– Ça va, Josie ? j'ai dit.

– Espèce de salaud, Snuke Johnson, elle a dit en s'écartant de moi, espèce de salaud !

– C'est comme ça que tu te bats, Kelly ? un des frères Aguillard a dit près de moi.

Il a levé le poing mais je l'ai bloqué et je lui ai flanqué le mien à travers la figure. Il s'est effondré, à dire qu'on lui avait tiré sur les deux chevilles en même temps.

À peu près au même moment, Jocko Thompson a jeté Black Ned sur le poêle brûlant, et Black Ned a fait un bond à toucher le plafond. Durant qu'il redescendait, quelqu'un lui a collé son poing sous le menton, et il est retombé sur le poêle. Cette fois il a déboîté le tuyau. Le tuyau est tombé et le poêle a suivi. Seulement un des frères Aguillard avait eu le temps de voir comment j'avais traité son frère, et il m'a asséné un tel coup sur l'oreille que je suis retombé.

– Encore toi, Kelly ? a fait celui qu'était par terre, en me cueillant en pleine poitrine.

Pour l'heure, les charbons ardents commençaient à se mélanger à l'eau glacée, et personne de sensé voulait plus rester par terre. Je me suis donc levé avant le frère Aguillard, et comme il voulait m'attraper par la jambe, je me suis dégagé en vitesse et je lui ai envoyé un bon coup de godasse dans les gencives. Il est parti à la renverse en poussant un grognement, et je me suis retourné juste à temps pour voir un des autres prêt à fondre sur moi. J'ai esquivé le coup et j'ai cogné si dur qu'il est allé rejoindre son frère sur le plancher. Ils ont commencé à se battre tous les deux. Y avait tellement de vapeur et de fumée présentement qu'une chatte y aurait pas retrouvé ses petits.

Je sais pas comment j'ai réussi à atteindre la porte, mais juste au moment où j'entrais dans la pièce de devant, Murphy Bacheron m'a salué en prononçant mon nom comme s'il m'avait pas vu depuis une éternité ; puis il m'a frappé d'une telle force que j'en ai vu trente-six chandelles. Mais j'étais pas assommé parce que j'ai entendu Murphy dire :

– Faut de l'honneur entre gentlemen.

Je me rappelle rien d'autre de la bagarre, mais le lendemain Jack Clairborn m'a raconté le reste. Il se battait avec un des frères Aguillard dans la grande pièce, il disait, quand il a vu Murphy me frapper. Je suis parti à reculons dans la cuisine, et près d'une minute plus tard j'ai émergé de la vapeur et de la fumée comme un type complètement soûl, mais prêt à tout pour se sortir de là. J'ai traversé la pièce en chancelant, il poursuivait, je suis sorti sur la galerie et j'ai descendu les marches. Paraît que je me suis penché, j'ai ramassé Marcus dans l'herbe et la rosée où Murphy venait de le jeter, je l'ai mis sur mon épaule et je l'ai porté jusqu'à la maison. Là, je l'ai laissé tomber sur la galerie et je suis allé dans ma chambre me coucher.

Je sais pas si tout ça est vrai, mais ce que je sais, c'est que le lendemain matin quand je me suis réveillé, j'étais allongé sur le lit tout habillé. Quand je suis sorti j'ai vu Marcus sur la galerie. Il dormait toujours.

Deuxième partie

1

Le lundi à midi, Marcus a commencé à regarder la femme de Bonbon. Il roulait avec moi sur le tracteur, et quand on est passés devant la maison, je l'ai vu la regarder sur sa galerie. J'y ai pas trop prêté cas sur le moment, parce que je croyais qu'il avait toujours Pauline en tête. Mais Louise avait vu ce regard, et quand on a redescendu les quartiers, j'ai remarqué qu'elle avait déplacé son fauteuil pour mieux faire face à la route. Marcus l'a encore regardée, pourtant il m'a rien dit sur elle. Comme je pensais pas qu'il la regardait exprès, j'ai rien dit non plus.

Marcus était encore tout meurtri de la bagarre du samedi soir. Il m'avait déjà raconté ce qui s'était passé avant que Murphy Bacheron l'assomme et le jette dehors. Il avait assommé un type lui-même et l'avait jeté par la fenêtre. Puis il avait vu une femme se cacher dans le coin. Quand il a voulu aller vers elle, elle s'est mise à crier.

– Tais-toi, il lui a dit.

– Oh, siouplaît, monsieur le forçat, j'ai deux tout p'tits enfants, la femme a dit en pleurant. Siouplaît, j'ai deux tout p'tits enfants, et ils ont que moi.

Il l'avait empoignée, il racontait, et embrassée très très fort. («C'est la meilleure chose à faire quand elles

piquent une crise dans une bagarre », il expliquait.)
Durant qu'il lui faisait friser les orteils avec ses baisers
enflammés, il a senti qu'on le touchait à l'épaule. Il a
pas prêté cas, il a continué à embrasser la femme. Il songeait à oublier la bagarre là tantôt et à sauter par la
fenêtre, la femme sous le bras. On l'a encore touché à
l'épaule. Il a toujours pas prêté cas. On l'a touché une
troisième fois. Il s'est retourné, et il a vu un vieux bonhomme tout couturé de cicatrices debout devant lui, un
vieux chapeau melon perché au sommet du crâne. Il
s'est demandé d'où sortait ce vieux bonhomme, il disait,
vu que tous ceux qu'étaient présents depuis un certain
temps avaient non seulement perdu leur chapeau, mais
aussi la moitié de leurs habits. Il a dit au vieux :

– Ouais, qu'est-ce que tu veux, grand-père ? Tu vois
pas que je suis occupé ?

Le vieux lui a répondu :

– M'est avis que c'est toi le jeune homme qu'a
démarré ce p'tit chambardement.

Marcus a commencé par dire au vieux bonhomme
de rentrer chez lui se reposer, qu'ils en causeraient le
lendemain, mais juste à ce moment le pépé s'est
retourné, il a bloqué un coup de poing, et il a assommé
le gars qu'allait le frapper dans le dos. Ensuite il s'est
retourné vers Marcus.

– Des types comme Harry y z'ont pas d'honneur, il a
dit. Et j'trouve qu'y faut de l'honneur entre gentlemen.
Qu'est-ce que t'en penses ?

Marcus a compris qu'il devait frapper le vieux le premier, alors il a fait comme s'il voyait quelqu'un arriver
derrière lui.

– Attention, il a dit. Fais gaffe.

Le vieux a tourné la tête, Marcus a levé le poing, mais
avant qu'il ait pu porter son coup, le vieux le regardait
de nouveau bien en face.

– Quoi ? il a fait en esquivant le coup. Et moi qui t'causais d'honneur !

Marcus disait que c'était tout ce qu'il avait entendu, il se rappelait rien d'autre. Le lendemain, quand il a ouvert les yeux sur la galerie, il sentait plus le côté gauche de sa figure ; il avait l'impression d'avoir été frappé avec un maillet.

Marcus m'a raconté tout ça le dimanche soir assis avec moi sur la galerie. Le dimanche matin après avoir fait un peu de ménage, je suis allé au bout des quartiers aider Josie à remettre de l'ordre. Deux ou trois autres bougres étaient là aussi. Une fois la maison rangée, Josie nous a donné une pinte de bière. On l'a bue dans la cuisine en parlant de la bagarre ; après je suis rentré chez moi. Marcus était sur la galerie avec Miss Julie Rand. Elle agitait lentement un éventail de carton devant sa figure.

– Miss Julie, j'ai dit.

– Comment allez-vous, monsieur Kelly ? elle m'a demandé de sa petite voix flûtée.

Miss Julie était assise dans un fauteuil que Marcus avait pris dans ma chambre. Elle était vêtue d'une robe violette, en soie, qui brillait comme du fer-blanc neuf. Elle l'avait sûrement sortie de sa malle ou de son armoire, parce qu'elle gardait un peu de l'odeur que j'avais sentie dans sa chambre le premier soir. Elle était longue et plissée, cette robe, et lui descendait jusqu'aux pieds. Miss Julie avait des souliers montants à talons de bois, qui fermaient avec des boucles, pas des lacets. Son vieux sac était posé par terre à côté du fauteuil. Il était noir, brillant, avec des fermoirs dorés. Je me suis assis par terre contre le poteau. Miss Julie a agité l'éventail deux ou trois fois. C'était un de ces vieux éventails en carton que les entrepreneurs des pompes funèbres donnent en cadeau aux églises tous les quatre ou cinq ans. D'un côté figurait un portrait de Jésus, de l'autre on voyait des caractères, sans doute l'adresse du magasin de pompes funèbres.

– Bon, Marcus a fait. J'suppose que vous voulez parler tous les deux et que vous préférez que j'vous laisse.

Il s'est levé, il est rentré.

– Qu'est-ce qui est arrivé à sa figure ? Miss Julie a dit. Et la vôtre – qu'est-ce qui vous est arrivé ?

J'ai touché ma lèvre inférieure. Elle était enflée et un peu douloureuse. J'avais encore mal à l'épaule gauche aussi.

– Y a eu une grosse bagarre hier soir à la fête.

Miss Julie s'est éventée lentement en me regardant.

– C'est pas Marcus qui l'a déclenchée, hein ? C'est un bon garçon.

– Non, m'dame, c'est pas lui.

– Ça ressemblerait bien à un tour d'un des frères Aguillard.

– J'sais pas qui a commencé.

– Mais c'était pas Marcus ?

– Non, m'dame. Je crois pas.

– Merci, monsieur Kelly, elle m'a dit. Je suis contente de l'entendre de votre bouche. Je vais faire quelques visites avant de repartir, et j'suis sûre qu'on va en parler.

Assis contre le poteau, je regardais le mur. Je sentais le regard de Miss Julie posé sur moi. J'entendais la soie de sa robe bruisser quand elle agitait l'éventail. Après un temps j'ai levé la tête pour la regarder. À la lumière du jour elle paraissait encore plus âgée. Sa peau était couleur de vieux pruneau, elle était aussi ridée qu'un vieux pruneau. Mais ses yeux étaient toujours vifs, perçants et avisés. Elle savait que j'avais menti rapport à Marcus. Elle avait toujours su que c'était lui qui avait déclenché la bagarre. Mais elle savait aussi que je sentirais ce qu'elle voulait entendre. Oh oui, elle était fine mouche ; elle avait bien choisi en me prenant pour veiller sur Marcus. Elle savait que je ferais ce qu'elle voudrait, que je dirais ce qu'elle voudrait.

– Comment il s'entend avec Sidney aux champs ? elle a demandé.

– Bien, j'ai dit.

Elle bougeait lentement l'éventail devant sa figure en me regardant de ses yeux vifs, avisés : elle me faisait comprendre qu'elle savait que tout n'allait pas « bien » entre Marcus et Sidney Bonbon. Elle les connaissait trop tous les deux pour croire que tout allait bien. Pourtant, je savais quel son de cloche elle voulait entendre. C'était pas la vérité qu'elle voulait entendre.

– Marcus a parlé à monsieur Marshall ? elle a demandé.

– J'crois pas.

– Vous pensez que je devrais lui parler encore ?

– J'crois pas que vous avez besoin, Miss Julie. Marcus s'en tirera très bien tant qu'il fait son boulot.

Elle a baissé sur moi le regard de ses vieux yeux qui lisaient jusqu'au fond de votre cœur.

– J'ai travaillé pour eux quarante ans durant, elle a dit. Quarante ans, monsieur Kelly. J'ai jamais demandé un sou en plus ; ni un bout de pain en plus. Quarante ans, monsieur Kelly.

J'ai hoché la tête.

– Je vous dis pas qu'ils me doivent quelque chose. Vu qu'ils étaient bons pour moi quand j'étais là. Mais c'est vers les braves gens qu'on se tourne quand on a des ennuis, pas ?

– Oui, m'dame, j'crois bien que oui.

– Oui, vers les braves gens. Mais des fois même les braves gens oublient. Ils font pas exprès – mais ils oublient des fois. Ils ont besoin qu'on leur rappelle ce qu'on a fait.

– J'suis sûr qu'il oubliera pas c'que vous avez fait pour sa famille, j'ai dit.

Elle a hoché la tête.

– Comment Marcus se débrouille dans le champ ?

– Bien, j'ai dit.

– Sidney a pas menacé de le battre, ni rien ?

– Non, m'dame.

– Et le sac ?

– Le sac ? j'ai fait.

Elle m'a pas répondu, elle m'a seulement regardé de ses yeux vifs qui lisaient jusqu'au fond de votre cœur. Je savais pas qu'elle était au courant pour le sac. Mais sans doute qu'elle avait vu un autre se faire traiter pareillement.

– Il a été obligé de le traîner. Mais il le traîne un peu moins chaque jour. Maintenant il apprend à garder la cadence.

– Parlez-lui, monsieur Kelly, elle a dit.

– J'fais ce que j'peux.

– Le Seigneur vous le rendra, même si j'en suis pas capable.

J'ai baissé les yeux vers le plancher. Ça m'embarrasse toujours quand les vieilles personnes se mettent à me dire ce que le Seigneur va faire pour moi.

– Fait chaud, pas ? Miss Julie a dit au bout d'un moment.

– Une vraie fournaise.

Il était midi environ, et le soleil était si chaud qu'il fallait fermer les yeux à demi pour voir à l'extérieur.

– J'ai apporté de quoi manger, elle a dit. Un bon gâteau. J'lui ai dit de vous en donner la moitié.

– Merci.

– Eh, quelle chaleur, Seigneur ! elle a soupiré.

Puis elle a regardé par-dessus son épaule en appelant :

– Marcus ?

Il a pas répondu. Elle l'a plus appelé, à croire qu'elle savait qu'il avait entendu et qu'il viendrait tôt ou tard. Après un temps il est sorti.

– Tu vas bien ? elle lui a demandé.

– Sûr, nan-nan.

– T'as besoin de quelque chose ?

– Deux ou trois dollars, si tu les avais.

Elle s'est penchée pour prendre son vieux sac à main sur le plancher. Après l'avoir ouvert, elle en a sorti un vieux mouchoir. Elle a mis tant de temps à le dénouer que j'ai failli lui demander si elle avait besoin d'aide. Marcus attendait, il la regardait même pas.

– Voilà, elle a dit en reprenant son souffle.

Elle a étalé le mouchoir sur ses genoux et pris plusieurs vieux billets roulés en boule. Elle les a défroissés et les a longuement regardés. Elle se demandait combien elle pouvait lui donner. Fallait sûrement qu'elle garde de l'argent pour elle à Baton Rouge. Elle lui a tendu un billet de cinq dollars. Il l'a pas remerciée ni rien ; il même pas fait un signe de tête.

– Eh, quelle chaleur ! elle a soupiré après avoir rattaché son mouchoir et l'avoir fourré dans son vieux sac à main. Bon, je crois que je vais aller faire mes petites visites. Mais t'es sûr que t'as pas besoin de moi ici-dedans ? elle a demandé à Marcus.

« Quoi ! j'ai pensé. Alors que t'as dû souffler après avoir dénoué un mouchoir ! »

– Tout va bien, il a dit. J'ai ce qu'y faut à manger. George vient te chercher à quelle heure ?

– En fin de journée, elle a dit. Eh, quelle chaleur, Seigneur ! C'est dur de se lever.

Elle s'est levée quand même et, sans bouger, elle a regardé dans la cour. Puis elle a répété :

– Eh, Seigneur !

Ensuite elle a commencé à descendre les marches. Je l'ai prise par la main et je l'ai aidée. Elle m'a fait une petite révérence en me remerciant, et elle est sortie de la cour. Marcus, debout sur le seuil, la regardait même pas.

Donc, présentement, il regardait la femme de Bonbon. Je le savais pas alors – je veux dire que je savais pas que c'était avec l'idée de pousser les choses plus loin. Je croyais qu'il la regardait pareil que nous autres quand on passait devant sa maison. On savait ce qu'elle voulait nous donner – le type qui serait assez fou pour aller prendre ce qu'elle offrait – mais on savait aussi les embêtements que ça risquait d'entraîner.

Marcus est retourné avec moi dans la grande cour le lundi soir, et pendant qu'on redescendait les quartiers, le chien de Bonbon nous a aboyé après.

– Ils ont aussi un chien, han ? il a dit.

– Ouais.

J'y ai plus repensé. N'importe qui ignorant qu'ils avaient un chien aurait pu poser la même question. Mais Marcus se demandait déjà comment il allait éviter le chien pour entrer dans la maison.

Le plus drôle c'est que Marcus savait pas que Louise le guignait déjà depuis une semaine. Sinon je crois pas qu'il aurait voulu d'elle. Parce que vous voyez, c'était seulement par vengeance qu'il la voulait. Fallait qu'il la séduise, pas le contraire. Il ferait le clown, il se mettrait la tête en bas, il marcherait sur les mains pour lui plaire, jusqu'à tant qu'il parvienne entre ses cuisses. Après, fini. S'ils le lynchaient, il s'en moquait. Parce que vous voyez, ils pourraient jamais lui reprendre ce qu'il aurait pris. Non, les gens qui l'auraient lynché, il leur aurait sûrement ri au nez.

Marcus a pensé à tout ça le samedi après-midi durant qu'il déchargeait ses deux remorques de maïs, parce que avant, il avait pas songé à Louise, pas un instant. Y avait que Pauline. Mais là-haut, pendant qu'il déchargeait les remorques, les choses ont commencé à changer. Il a revu Pauline. Elle est sortie de la maison et elle a traversé la cour sans lui jeter un regard. Pourtant elle s'est arrêtée pour parler à Bonbon qui l'a croisée entre la maison et le portail. Marcus, en jetant du maïs dans le silo, les voyait parler. Plus il les observait, plus il était en rogne. Ensuite elle est sortie de la cour. Il apercevait sa combinaison sous le tissu fin de sa robe, il voyait la façon qu'elle collait à son corps élancé. Il s'est dit qu'il serait complètement différent, si seulement en rentrant à la maison il pouvait retrouver un si joli corps de femme. Puis il s'est rappelé que ce corps était réservé à un Blanc, et ça l'a remis en rogne. Il aurait voulu lui faire du mal, vraiment du mal. Mais comment ? En la battant ? En tuant un de ses enfants ? Oui, ça lui ferait du mal. Et à Bonbon, qu'est-ce que ça ferait ? Rien sûrement. Il s'en moquait, Bonbon, de ces deux petits mulâtres.

Marcus jetait le maïs et il réfléchissait. La poussière du maïs lui brûlait les yeux et la peau.

Comment il pouvait faire du mal à Bonbon ? Comment ? Mais attendez. Oui, bien sûr. Bonbon avait aussi une femme, fallait pas l'oublier. C'est vrai, il avait une femme. Eh ben d'une façon ou de l'autre, il allait l'avoir, sa femme. Ils pouvaient le lyncher. Il s'en foutait pas mal.

« Non, il s'est dit. Ils vont pas me lyncher. Je vais me sauver de cette sacrée plantation. Voilà ce que je vais faire. Mais quand ? Si je tente le coup maintenant, ils vont me coller à Angola pour le restant de mes jours. Pas pour cinq ans, jusqu'à ce que j'y crève. Non, je peux pas me sauver là même. Faut que j'attende la fin du procès. Après je trouverai l'occasion…

« Mais s'ils retardaient le procès de six mois ? Ces Blancs, ils ont tous les droits avec les nègres. S'ils le repoussaient de six mois ? Je ferais quoi ? Han ? Non. Non. Rester dans cette maison, en sachant qu'il couche avec elle ! Non, bon Dieu, non ! Plutôt crever. Plutôt crever ! »

Marcus avait déchargé une remorque et attaqué la deuxième quand Marshall Hebert est sorti du magasin. Il a regardé Marcus. C'était la première fois que Marcus le voyait, ce grand type blanc, pourtant il savait qui c'était par ouï-dire. Marshall est resté un bon moment les yeux levés vers lui, puis il s'est éloigné. Marcus l'a vu arracher un morceau de mousse à l'un des arbres, et après l'avoir roulé en boule, le jeter par terre. Il a traversé la cour jusqu'au grand portail et jeté un coup d'œil sur la route. Mais la route l'intéressait pas, et il s'est retourné vers Marcus. Il a dû rester près du portail une demi-heure à regarder Marcus travailler.

Après le départ de Marshall, Marcus s'est mis à penser à la femme de Bonbon. L'idée de se venger sur Louise lui a donné un regain de force. Finalement, à dix heures passées, il a terminé son travail et il est rentré dans les quartiers. Après avoir pris un bain, il est ressorti. Et qui il a vu sur la route, si c'est pas Pauline en personne, qui marchait toute seule ? Si elle avait agi avec lui la façon qu'une femme doit agir avec un homme, il m'a dit après, la femme de Bonbon lui serait sortie de l'esprit. Mais non, en le voyant on aurait dit qu'elle rencontrait le diable. C'est la raison qu'il l'avait battue, il disait. Il voulait lui montrer qu'il était un homme, pas de la boue. Il était si colère après elle qu'il avait envie de la tuer, et pourtant en même temps, si elle lui avait accordé un petit sourire, il aurait été prêt à tuer Bonbon pour elle.

3

Présentement il regardait la femme de Bonbon. Il la regardait depuis deux jours quand j'ai flairé ce qui se tramait. Le lundi matin dans le champ, les deux corniauds l'ont fait trimer pareil que la semaine précédente. Quand Bonbon est venu le tantôt, il l'a encore fait trimer. Mais on aurait dit qu'il s'en foutait. Je savais pas ce qui avait produit le changement. J'ignorais si Bonbon l'avait déjà mis au pas, ou si c'était à cause du coup de poing de Murphy Bacheron le samedi soir. Mardi, même chose : les deux corniauds le matin et Bonbon l'après-midi. Et puis le mercredi soir en rentrant dans les quartiers on a vu Louise debout près du portail.

Louise avait dans les vingt-cinq ans, mais elle était de la taille d'une fille de douze ou treize ans. En général elle portait les habits d'une gamine de treize ans, des jupes et des corsages, pas des robes. Des sandales, pas des chaussures. Elle était toujours jambes nues, sauf l'hiver. Ses cheveux étaient jaunes (la couleur du foin au mois d'août), et sa figure plus crémeuse que blanche. Y avait que ses yeux, des yeux gris au regard triste, qui vous faisaient sentir qu'elle était plus une enfant. Ils avaient connu trop de misères, depuis bien trop longtemps. J'avais vu Louise de près une seule fois, un jour que Bonbon m'avait envoyé des champs pour chercher le fusil. Comme Tante Margaret, la vieille dame qui venait des quartiers travailler chez eux, n'était pas là, Louise avait dû apporter le fusil au portail elle-même. Elle m'avait rien dit, ses yeux m'avaient pas invité à entrer ; simplement elle restait le fusil à la main, à croire qu'elle attendait que je fasse le premier pas. Si je voulais lui toucher les cheveux ou la figure, si je voulais la renverser par terre, à moi de jouer. Elle me disait pas de le faire, mais elle me l'interdisait pas non plus. C'était à moi de décider. Burl Colar avait eu la même impression une fois que Bonbon l'avait envoyé là-bas. Mais Burl et moi, on a fait de même : on est partis aussi vite que possible ; en même temps on s'est arrangés pour pas avoir l'air de se sauver.

Louise était en robe blanche le soir où on l'a vue, Marcus et moi, et sous les arbres noirs drapés de mousse, on aurait dit un fantôme. D'abord j'ai cru qu'elle était toute seule, mais en approchant on a vu qu'elle tenait Tite par la main. C'était sa petite fille de trois ans.

– Madame Bonbon, Marcus a dit en s'inclinant devant elle.

Elle a pas répondu. Elle le quittait pas des yeux, mais à son attitude on aurait pu croire qu'elle l'avait même pas entendu. Quand on est arrivés un peu plus loin dans les quartiers, je l'ai attrapé par le bras et je l'ai forcé à se retourner.

– Tu cherchais quoi là-bas ? je lui ai demandé.

– Je lui ai parlé, c'est tout.

– Et moi, tu m'as vu lui parler ?

– Je t'ai vu trembler, il a fait avec un sourire en coin.

Ça m'a mis en rogne. Je me suis rappelé tous ses mauvais tours. Je me suis rappelé la vieille femme qui m'avait demandé de veiller sur lui, de lui parler. Je me suis rappelé que trois jours avant, pas plus, elle voulait aller trouver Marshall Hebert une deuxième fois, pour l'implorer d'empêcher Bonbon de lui faire du mal, de le tuer au travail. Là tantôt j'avais tellement envie de lui taper dessus que ma main s'est mise à trembler.

– J'en ai marre de toi, t'entends Marcus ?

– Très bien.

– Qu'est-ce que tu veux dire par là ?

– Si t'en as marre de moi, fiche-moi la paix.

On était face à face, y avait pas plus de cinquante centimètres entre nous. Il faisait nuit, mais je voyais la sueur

et la poussière incrustées sur sa figure. J'aurais voulu lui
décrasser la figure à coups de poing.

– Espèce de salaud ! j'ai dit.

Je voulais qu'il m'insulte aussi pour pouvoir lui botter
le train. Il m'a fait son sourire en coin.

– Espèce de dégueulasse ! j'ai dit.

– Mais pourquoi tu m'insultes ? J'ai seulement parlé
à cette pauv'petite femme – et toi tu m'insultes. Faudrait
plus d'amour dans le monde.

– Salaud ! j'ai dit.

Il m'a regardé en souriant toujours.

– On continue, Jim ?

On s'est remis en route. Il marchait un peu en
avant. Temps en temps il jetait un coup d'œil en arrière,
et souriait.

Mon souper avalé, je suis sorti sur la galerie avec ma
guitare. Au bout d'un moment Marcus est sorti aussi s'allonger devant sa porte. Couché sur le dos, il fixait le toit
de tôle. Je savais pas s'il m'écoutait jouer ou s'il pensait
encore à Louise.

– Marcus ? j'ai fait.

Comme il m'a pas répondu je l'ai encore appelé. Ce
coup-là il m'a regardé avec son sourire.

– Écoute, j'ai dit en m'approchant de lui.

J'allais lui parler différemment maintenant. J'allais
plus me mettre en rogne, j'allais lui parler comme on
parle à un enfant.

– On veut pas d'ennuis sur cette plantation, t'entends ?

– Quel genre d'ennuis ?

– Le genre d'ennuis que Bonbon ferait s'il te prenait
en train de fricoter avec sa femme. Tu sais ce qu'il te
ferait s'il t'attrapait à tourner autour d'elle ?

Il a pas répondu.

– Il te lyncherait. Il te brûlerait vif. Avec ses frères, il
te brûlerait vif. Toi et la moitié des gens d'ici.

117

– J'ai fait que parler à cette petite dame, il a dit. Je vois pas quel mal y a.

Je sentais la colère me reprendre. Je voulais pas, j'aime pas être en rogne. Mais chez Marcus y avait quelque chose qui vous mettait en rogne que ça vous plaise ou pas.

– Joue pas au con avec cette femme, Marcus, tu m'entends ?

Il m'a pas répondu.

– Tu m'entends, mon vieux ? J'veux pas être obligé de te botter le train.

– Jim, s'il te plaît, il a dit. Laisse-moi digérer mon souper. Un homme peut pas s'allonger pour digérer son souper après une longue journée de travail ?

Ma main est partie toute seule. Je voulais l'empoigner, le secouer, l'envoyer valser contre le mur. Mais ma main s'est arrêtée, tremblante, au-dessus de sa poitrine.

Je me suis levé et je suis rentré de mon côté de la maison. J'ai jeté ma guitare sur le lit et je suis allé chez Josie. Elle avait de la bière fraîche, j'en ai bu une ou deux.

– Dis à ce forçat de malheur de ne pas venir chez moi, elle m'a dit.

– Dis-lui toi-même. J'suis pas ton messager.

– Bon Dieu, qu'est-ce que t'as qui va pas ce soir ?

– Rien, j'ai dit. Tiens, voilà ton argent.

Je l'ai payée et je suis sorti. Je suis resté un long temps sur la route, à me dire que je devrais m'en aller.

– Je lui dois rien à cette vieille femme, j'ai dit tout haut. Je devrais emballer mes affaires et partir d'ici. Sûr et certain que ce salopard va causer des ennuis avant que tout ça soit fini.

Maintenant il la cherchait chaque fois qu'il passait devant sa maison ; et chaque fois elle le guettait aussi. Il roulait plus sur le tracteur avec moi là tantôt, mais dans la remorque sur le maïs. Mais si je lui jetais un coup d'œil, je voyais qu'il la cherchait des yeux ; si je regardais la maison, je la voyais assise dehors sur sa galerie. Ils s'observaient de la sorte jusqu'à tant qu'ils se voient plus rapport à la poussière.

Quand je dis que Louise regardait Marcus, je veux pas dire qu'elle le faisait ouvertement, que tout le monde le sache. Jamais elle courait au bout de la galerie, elle souriait pas, elle agitait pas la main ni rien de tel. Elle le guettait par en dedans, je veux dire, en songeant à la même chose que lui. Elle savait qu'il l'avait vue, qu'il l'avait remarquée, alors elle avait plus qu'à penser comme lui. Non, elle bougeait jamais, elle souriait jamais, elle agitait pas la main ni rien de tel ; elle regardait, elle pensait et elle attendait, c'est tout.

Le jeudi soir, Marcus et moi on était assis dehors sur la galerie quand le camion de Bonbon a descendu les quartiers. On a vu le camion s'arrêter devant la maison de Pauline et les lumières s'éteindre. Une ou deux minutes plus tard, quand la poussière s'est reposée, Marcus s'est levé et il est sorti sur la route. Où il allait, j'en avais aucune idée, à moins que ce soit à l'église. C'est Sun Brown qui m'a raconté plus tard ce qui s'était passé. Il était devant la vieille maison vide de Joe Walker, quand il a entendu quelqu'un crier le nom de Bonbon devant son portail. Il faisait trop noir, Sun Brown disait, pour voir qui c'était, mais il entendait clairement la voix ; pas trop fort, mais très clairement.

– Ho, monsieur Bonbon ! Ho, monsieur Bonbon !

Sun Brown disait qu'il avait pensé que la personne venait du haut des quartiers, vu que si elle était venue d'en bas, elle aurait vu le camion garé devant la maison de Pauline. Il avait pressé le pas pour lui dire que Bonbon était pas chez lui. Mais, il racontait, en arrivant au coin de la barrière (où y avait un chêne) il a vu Miss Louise descendre l'allée vers le portail. Et le temps qu'il arrive au portail où la personne (le forçat) attendait, Miss Louise y était aussi. Louise tenait Tite, sa petite fille aux cheveux blancs, par la main. Sun a entendu le forçat dire :

– Monsieur Bonbon est chez lui ?

Il aurait pu facilement dire au forçat que monsieur Bonbon était en bas des quartiers chez Pauline, mais il a pensé que Miss Louise le ferait aussi bien. Il savait pas si elle avait répondu ou non. Pendant qu'il passait, elle était restée là, tenant Tite par la main, sans rien faire d'autre. Sun a atteint l'autre bout de la barrière (où y avait un gros pacanier) sans pouvoir entendre si elle avait répondu.

J'ai su par Marcus plus tard que Louise lui avait pas répondu ce soir-là. Debout à cet endroit, elle tenait Tite par la main et le regardait à travers le portail. Il disait qu'il savait pas comment décrire son regard – sauf peut-être en disant qu'il était rêveur. Elle donnait l'impression qu'il aurait pu lui faire n'importe quoi, elle aurait pas pipé. Elle portait la même robe blanche que la veille au soir.

Elle était serrée à la taille, ornée de dentelle sur les manches. Avec cette robe, Marcus disait, Louise avait l'air d'une gamine de douze ans. Il avait jamais remarqué avant comme elle avait la taille fine, les bras et les jambes maigres.

Ils se sont regardés, puis Marcus a baissé les yeux sur la petite fille que Louise tenait par la main. Elle était là toute sage, il disait, accrochée à la main de Louise à croire qu'elle était dans son petit rêve à elle. Il savait pas encore qu'elle avait le cœur malade.

Il a reporté son attention sur Louise. Elle le regardait toujours d'un air vague et rêveur. Elle lui rappelait une personne qui s'est perdue dans les bois ; perdue depuis des jours et des jours, et qui a vu toutes sortes de choses qui auraient pu être humaines, mais finalement aucune l'était. Et présentement elle le regardait en se demandant s'il était une créature humaine.

– Monsieur Bonbon est pas là ? il a dit.

Elle a toujours rien dit, sa figure a même pas changé. Debout devant lui, elle le fixait, l'air de se demander si une des apparitions dans les bois avait parlé.

Tite s'est penchée pour claquer un moustique sur sa jambe. Marcus disait qu'elle l'avait fait si lentement, on aurait cru qu'il lui fallait toutes ses forces rien que pour se pencher.

– Viens, Judy, Louise a dit.

Le lendemain, quand on est passés à midi, Louise était sur la galerie. Elle avait regardé Marcus quand on avait monté les quartiers, elle a recommencé quand on est redescendus. Ce soir-là il a pris son bain sitôt rentré, puis il est allé à l'église. Mais il a dû y rester quelques minutes à peine (il est pas entré, il est resté dehors pour regarder par la fenêtre) ; après il est reparti vers le haut des quartiers. Et Sun Brown l'a encore vu. Non, il a entendu la même voix basse et claire :

– Ho, monsieur Bonbon ! Ho, monsieur Bonbon !

Sun arrivait du haut des quartiers cette fois, et il venait de rencontrer Bonbon qui se dirigeait vers la grand-route dans le camion. Alors il a pensé que la personne qui appelait Bonbon devait venir du bas des quartiers. Sun disait qu'en approchant (il était près du gros pacanier), il a vu Miss Louise aller vers le portail. Le temps qu'il y arrive, Louise et Tite y étaient aussi. Sun racontait qu'il s'était dit : « Ça, c'est drôle alors. » Il imaginait même pas que le forçat songeait à entrer dans la cour de Bonbon – quel imbécile aurait pu avoir une idée pareille ? Non, ce qu'il entendait par « ça, c'est drôle alors », c'est que c'était la même personne qui appelait Bonbon deux soirs d'affilée, quelques minutes après le départ de Bonbon. Et le plus drôle, c'est que cette personne avait travaillé près de Bonbon toute la journée ce jour-là et la veille. En plus, cette personne aurait dû être la dernière à chercher après Bonbon, vu la façon que Bonbon la menait. Et pour couronner le tout, Sun ajoutait, Miss Louise était venue au portail deux fois ! Jamais elle avait agi ainsi pour quiconque depuis qu'il était sur la plantation, deux fois plus longtemps qu'elle.

Le temps qu'il arrive au portail, Louise y était avec la petite aux cheveux blancs. Seulement cette fois elle était encore plus près. Sun a entendu le forçat dire :

– Monsieur Bonbon est chez lui ?

Cette fois encore il savait pas si elle lui avait répondu ou non. Il a tendu l'oreille jusqu'à tant qu'il arrive au bout de la barrière (le gros chêne) ; puis il a cessé, vu qu'il était trop loin pour entendre toute façon.

Elle lui a pas parlé ce soir-là, mais Tite oui.

– Bonsoir, la petite fille a dit.

– Bonsoir. Comment tu t'appelles ?

– Tite.

– Ta maman t'a pas appelée Judy ?

– Judy.

– Tite Judy ? il a demandé.

– Tite, elle a répété.

Il disait qu'il la regardait. Il savait pas encore qu'elle était malade, il croyait qu'elle était un peu toquée.

– Tite, ça veut pas dire petite ? il a demandé.

– Judy.

Il racontait qu'il l'avait regardée en pensant qu'elle était toquée, puis il a regardé Louise. Elle le regardait pareil que la veille au soir : sans pouvoir décider s'il était une créature humaine ou une de ces apparitions dans les bois.

Il était près du portail à ce moment, la main sur le poteau. Louise a levé la sienne lentement lentement vers un des piquets du portail. Sa figure a pas plus changé que si elle avait pas fait de geste. Il l'a laissée ainsi un instant, puis sa main a bougé et touché la sienne. Non, c'était pas sa main, il expliquait, c'était son doigt. Il l'a touchée du doigt, et avant qu'il sache ce qui se passait, son ongle s'était enfoncé dans ses jointures. Il savait pas pourquoi son ongle avait fait ça : il était pas un tourmenteur, mais un amant. Il voulait lui faire du mal, c'est vrai, il voulait lui faire du mal, mais pas avec un ongle. Son ongle est resté enfoncé trente secondes avant qu'il réalise. Quand il s'est rendu compte de ce qu'il faisait, il a retiré son doigt. Elle a pas bougé. Son expression avait même pas changé. Tout autour d'eux, il disait, les criquets faisaient du bruit, les grenouilles appelaient la pluie, des lucioles clignotaient dans le noir. Un oiseau dont il connaissait pas le nom a surgi des herbes folles au long du fossé, volé près d'eux et traversé le champ. Durant tout ce temps Marcus et Louise se sont pas quittés des yeux à travers le portail. Puis il s'est mis le bout du doigt dans la bouche et il l'a frottée doucement là où il lui avait fait mal. Il lui disait avec ses yeux combien il regrettait. Il aurait pu le dire en paroles, parce que Tite était trop absorbée par les lucioles pour leur prêter la moindre attention, à Louise et à lui. Juste comme il s'apprêtait à se pencher pour lui baiser la main, Louise l'a retirée du piquet.

– Viens, Judy, elle a dit.

5

Le samedi, en arrivant dans la grande cour, on a vu les gamins près du silo. Alors Marcus et moi on a compris qu'il aurait pas à décharger le maïs ce jour-là, ou alors, s'il devait le faire, il manquerait pas d'aide. J'ai conduit le tracteur tout près, et les enfants ont reculé pour mieux voir Marcus. Quand j'ai arrêté le moteur et sauté à terre, Bonbon était là.

– J'vois que vous avez fini, il a dit.

– Ouais.

Il avait mis une chemise blanche et un pantalon marron, et coiffé son chapeau blanc de cow-boy. Pas d'habit de travail kaki aujourd'hui, ni de bottes; il avait des chaussures marron qui brillaient comme du métal poli.

– Vous les enfants, grimpez sur la remorque, il a dit. Le maïs va pas se décharger tout seul.

Les enfants sont montés sur la remorque et ils ont commencé à jeter le maïs dans le silo. Mais ils ont pas tardé à en faire un jeu. L'un d'eux jetait un épi de maïs en l'air, et les autres le visaient pour le toucher avant qu'il tombe dans le silo.

– Hé, dites donc! Bonbon a crié. Vous vous croyez sur un terrain de base-ball? Jetez-moi ça correctement!

Les petits ont cessé de jouer et se sont mis à travailler la façon qu'il voulait. Bonbon les a surveillés un moment pour s'assurer qu'ils allaient pas recommencer.

– Attention à vous là-haut! Je joue pas moi, il a dit. Tu m'entends, Billy Walker?

– Oui, m'sieur.

– Tu ferais mieux.

Il s'est tourné vers moi.

– Petits salopards, il a dit.

« J'ai jeté un coup d'œil aux enfants. Les enfants sont des enfants, j'ai pensé. Sitôt que t'auras le dos tourné ils se remettront à jouer. »

– Jime, j'veux que tu m'accompagnes à La Nouvelle-Orléans, Bonbon m'a dit.

– À La Nouvelle-Orléans ?

– Ouais. C'est le patron. Y veut que j'aille chercher une pièce pour la batteuse.

– Ben, faut que j'me lave et que j'me change.

– Ouais, prends le camion, il a dit en le désignant du menton, garé près de la remise à outils.

– À quelle heure vous partez ?

– Sitôt que tu reviens. J'veux faire l'aller-retour avant la nuit. T'as besoin de ta paie ?

– Non, j'ai quelques dollars. Je vais rien dépenser à La Nouvelle-Orléans. (J'ai jeté un coup d'œil à Marcus et j'ai regardé Bonbon de nouveau.) Marcus peut s'occuper d'une petite affaire à Bayonne, je pense ?

Marcus avait rien à faire à Bayonne (il m'avait parlé de rien en tout cas), mais je me disais qu'il valait mieux l'aider à se défiler, au cas où Bonbon aurait l'idée de lui confier un boulot.

– Non. Une autre fois. Aujourd'hui faut qu'il nettoie mon jardin.

– Vot'jardin ?

J'avais presque crié et Bonbon m'a regardé d'un air étonné. Je lui avais jamais répondu de façon si malpolie.

– Quelque chose ne va pas, Jime ? il m'a dit en rétrécissant les yeux.

Je pouvais pas lui répondre. Seulement froncer les sourcils en secouant la tête.

– Je sais c'que tu penses, Bonbon a dit. Ces feuilles s'entassent depuis dix ans, et tout d'un coup elle veut qu'on les ratisse. Les femmes ! Tu les comprends, toi ?

Mon cœur cognait trop fort pour que je réponde ; et j'osais pas regarder Marcus non plus.

Je savais pas alors que Marcus avait rencontré Louise les deux derniers soirs, vu que j'avais pas encore parlé avec Sun Brown. Mais je savais qu'il l'avait remarquée du tracteur et qu'il attendait qu'une occasion d'approcher de cette maison. Une fois qu'il y parviendrait (tous les deux voulaient qu'il y parvienne), il allait avancer ses affaires.

– Alors c'est ton boulot ce tantôt, Bonbon a dit. Et j'veux que ce soit ratissé, t'entends ?

– J'vais ratisser, Marcus a répondu. Ça sera jamais si bien ratissé.

Bonbon le regardait. Il mesurait une dizaine de centimètres de plus que Marcus, alors il le lorgnait de sa hauteur.

Non, ça n'avait rien à voir avec Pauline et le fait que Marcus l'avait frappée. Bonbon savait pas ce qui s'était passé entre eux. Pauline avait dû lui dire qu'elle s'était cogné le menton contre une poignée de porte, ou qu'une boîte de conserve était tombée de l'étagère. Ou alors que le piquet qui retenait la corde à linge avait glissé pendant qu'elle étendait sa lessive. Non, ça n'avait rien à voir avec elle. Ça venait entièrement de Louise. Elle avait appris que Bonbon devait aller à La Nouvelle-Orléans et qu'il serait absent au moins la demi-journée.

Comment faire ? Comment ? elle avait dû penser. Comment ? Et faut croire qu'en traversant la cour elle avait regardé par terre et vu les feuilles – des feuilles qu'étaient là depuis dix, vingt ans peut-être ; des couches et des couches de feuilles ; c'était même plus des feuilles, elles étaient retombées en poussière. Même en utilisant une pelle et en creusant six pieds dans la terre, Marcus arriverait jamais à bout de toutes ces feuilles.

Pour l'heure je l'ai regardé. Il savait que j'allais le regarder, et il savait que j'allais le faire à cet instant. Il avait envie de rire. Il riait par en dedans, il rigolait tant qu'il pouvait par en dedans.

– Eh ben, il va faire frais sous ces arbres, j'ai dit. Il va faire bon et frais là-dessous. C'est presque une partie de plaisir.

– Non, ce sera pas une partie de plaisir, Bonbon a dit.

– Presque, j'ai dit, les yeux sur Marcus. Ça me dérangerait pas d'avoir ce genre de boulot, moi. (Je me suis tourné vers Bonbon.) Vous pourriez pas me donner ce boulot et l'emmener avec vous, par hasard ?

– Le patron veut que ce soit toi.

« Ouais, j'ai pensé. Le patron veut que ce soit moi. Le Vieux Planteur veut que Marcus entre dans cette maison. Il veut que Bonbon le trouve au lit avec Louise. Sûr que c'est ça qu'Il veut. Il veut le feu. Il veut que Bonbon brûle ce lieu. La Bible ne dit-elle pas qu'Il détruira le monde par le feu la prochaine fois ? Sûr qu'Il veut que j'y aille. »

– Ben, je me disais, vu que c'est lui le forçat, pas moi, j'aurais le boulot le plus facile.

– La prochaine fois, Jime, Bonbon a dit.

Marcus a toussé ; il avait envie de rire. Il riait si fort par en dedans, il allait tomber contre la remorque. Et sur la remorque les enfants avaient recommencé à jouer.

– Hé, qu'est-ce que j'ai dit là-haut ? Bonbon a crié.

Les enfants ont arrêté.

– Tu ferais mieux de partir, Jime, Bonbon m'a dit. Et toi tu ferais mieux de rentrer manger, il a dit à Marcus. Sois chez moi à une heure. Y a le râteau et le balai qui t'attendent.

– Oui, m'sieur, Marcus a fait. À une heure sans faute, m'sieur. Et j'ferai du bon travail, m'sieur. Vous allez plus rien reconnaître en revenant.

Quand on est montés dans le camion, je me suis tourné vers lui.

— Fais pas l'imbécile avec cette femme, Marcus, je lui ai dit.

Il a fait son sourire en coin.

— J'y vais pour ratisser des feuilles.

— Tu m'as entendu, han ?

— Cet homme-là, il veut que j'ratisse ses feuilles. Tu veux pas que j'ratisse ses feuilles ?

— J'te préviens, j'ai dit.

J'ai démarré et on a quitté la cour.

6

On a mangé en même temps, moi assis à la table, lui sur les marches. J'avais les yeux fixés sur sa nuque bouclée. J'ai manqué le frapper – non, lui flanquer un bon coup de pied – mais à quoi ça aurait servi ? Vous croyez que ça aurait arrangé les choses de lui botter le train ? Bonbon l'avait forcé à traîner un sac deux semaines durant, et ça n'avait servi à rien. Vous croyez que lui botter le train aurait servi à quelque chose ? Murphy Bacheron lui avait cassé la gueule, ça n'avait servi à rien. Je lui avais parlé, la vieille dame de Baton Rouge aussi, ça n'avait rien. Vous croyez que ça aurait servi à quelque chose de botter le train à Marcus ?

J'ai même songé à le tuer, lui tirer dans la tête avec mon fusil ou lui fendre le crâne avec la hache, mais pourquoi je me serais donné cette peine ? Pourquoi devrais-je aller en prison pour lui ? Qu'il couche avec elle. C'est ce qu'il voulait, elle aussi, alors pourquoi me tourner les sangs ?

Mon repas fini, j'ai pris un bain dans la grande bassine. Tout le temps que j'étais assis dans la bassine, j'ai pensé à Tante Margaret. Tous mes grands discours comme quoi je me foutais de Marcus, c'était de la blague. J'aurais presque tout tenté pour empêcher Marcus de faire l'imbécile avec Louise. Alors j'ai pensé à Tante Margaret. Je sais que c'était pas bien correct de ma part de penser à une vieille dame chrétienne comme elle pendant que j'étais dans mon bain, mais j'aurais presque tout tenté. « Oui, oui, j'ai pensé. Oui, c'est ça. »

Le temps que je sois rhabillé, il était une heure. J'ai fermé les portes et les fenêtres et je suis sorti sur la galerie.

J'ai trouvé Marcus couché sur le dos, les jambes croisées.

– Bon, on y va, j'ai dit.

– C'est toi le patron, il a répondu.

J'ai fait demi-tour avec le camion et j'ai conduit jusqu'à la maison de Tante Margaret. Je l'ai pas vue, mais y avait Oncle Octave et monsieur Roberts assis dehors sur la galerie. Quand je suis entré dans la cour, ils parlaient de la guerre. Ils en parlaient chaque fois qu'ils étaient ensemble, c'est-à-dire tous les jours que le bon Dieu faisait. La guerre était finie depuis trois ans déjà, mais ils en parlaient à croire que tout le monde se tirait encore dessus. Monsieur Roberts avait sa petite baguette, comme d'habitude. Il l'emportait partout où il allait. Elle lui servait à taper sur les mouches quand elles se posaient par terre près de lui. Il était adroit, du reste. Il en ratait rarement une.

– Comment vous vous portez ? je leur ai demandé.

– Couci-couça, et toi, Jimmy ? Oncle Octave a dit.

– Fait chaud, j'ai dit. Je peux parler à Tante Margaret, oncle Octave ?

– Elle est toujours en haut des quartiers.

– Elle travaille ce tantôt ?

– Ça vaut mieux pour elle, Oncle Octave a dit.

Monsieur Roberts et lui sont partis à rire.

– Bon, je la verrai là-bas. Comment ça va, monsieur Roberts ?

– Très bien, et toi, James ?

– Très bien, j'ai répondu. Eh ben à plus tard.

Ils m'ont souhaité le bonjour, je suis retourné au camion et j'ai remonté lentement les quartiers. Quand je suis arrivé devant la maison de Bonbon pour déposer Marcus, je suis descendu aussi. Juste avant qu'il entre dans la cour, je l'ai arrêté. Je voyais le râteau et le balai appuyés contre la barrière.

– C'est avec ça que tu travailles, j'ai dit. Si tu veux de l'eau y a une pompe derrière la maison. Tu m'entends, han ?

Il a souri. Il avait rien entendu. Je savais avant de commencer qu'il allait pas écouter ; mais c'était mon devoir de lui dire, toute façon.

– Tu peux t'y mettre, j'ai dit.

– C'est toi le patron, il a répondu en allant prendre le râteau.

J'ai regardé en direction de la maison et j'ai appelé Tante Margaret. D'abord elle est pas sortie, et je l'ai encore appelée. Elle est venue sur la galerie. Tite était avec elle.

– Vous pouvez venir au portail une minute ? j'ai demandé.

Tante Margaret a descendu les marches en tenant Tite par la main. Elle était petite et grosse, Tante Margaret. Elle avait une figure ronde, noire et luisante. Ses courts cheveux crépus (on voyait son crâne au travers) commençaient à devenir gris.

Tante Margaret était drôle même quand elle était triste. Si elle houspillait Oncle Octave, si elle chantait à l'église, la façon qu'elle le faisait, c'était toujours comique. Je suis sûr que même en mourant Tante Margaret fera quelque chose d'inattendu. Peut-être qu'elle remuera un orteil, ou ses yeux se rouvriront soudainement, quand on croira qu'ils sont fermés pour la dernière fois. Tante Margaret et moi on était amis depuis le jour où j'étais arrivé sur la plantation. J'avais soupé chez elle maintes et maintes fois quand mon garde-manger était vide ou que j'avais pas envie de cuisiner.

– Comment vous vous portez, Tante Margaret ? j'ai demandé quand elle a approché du portail.

– Bien. Et toi ?

– Ça va.

Tante Margaret était plutôt vaillante pour quelqu'un de son âge, et sa voix était toujours forte et belle. Présentement elle me regardait comme si elle savait ce que j'avais en tête.

– Elle veut faire ratisser ses feuilles, han ?

Tante Margaret a hoché la tête.

– Des feuilles qui sont là depuis vingt ans, tout d'un coup elle veut les faire ratisser.

Cette fois Tante Margaret a poussé un grognement, en me regardant toujours droit dans les yeux comme si elle savait ce que j'avais en tête.

– Écoutez, Tante Margaret.

– T'as pas besoin de le dire. Je sais.

– Non, vaut mieux que je le dise. Le laissez pas approcher de la maison.

– Y a le chien.

– C'est vrai, le chien. Je l'avais oublié. La laissez pas lui donner de l'eau.

– Y a un robinet derrière.

– Elle pourrait avoir envie de lui donner de l'eau fraîche ou de la limonade.

– Il boira l'eau chaude du robinet et rien d'autre, Tante Margaret a dit en regardant Marcus, et moi ensuite. Je le déteste déjà, c'est une canaille. Par ici les braves gens essaient de vivre en paix, et voilà qu'il s'amène avec ses saletés. Pourquoi monsieur Marshall l'a fait venir d'abord ? Tu vas pas me dire qu'il aime Miss Julie Rand à ce point.

– Faut croire que si, j'ai dit. Elle a donné quarante ans de sa vie à cette famille.

– Eh, Seigneur, Tante Margaret a fait. Et moi qui voulais aller un peu à la pêche ce tantôt. Il en est plus question. Je quitterai pas cette maison avant cette canaille, même si c'était la fin du monde.

– C'est p'têt'ce qui arriverait si vous partiez. Tout est entre vos mains, Tante Margaret.

– Mes mains ! elle a dit, en regardant sa main libre qui tenait pas Tite. Mes mains. Tout ce qu'elles ont fait toute ma vie, c'est nettoyer les maisons et torcher les bébés – à part un peu de pêche temps à autre. Maintenant que j'suis vieille, faut qu'elles protègent le monde. (Elle a regardé Marcus.) Mauvais nègre, elle a dit tranquillement. (Elle m'a regardé.) Des fois je pense que le Maître doit dormir.

– J'crois qu'Il est fatigué.

– Il est fatigué ou Il dort.

– Elle fait quoi là-bas dedans ?

– Elle est couchée sur le lit pour se reposer.

– En prévision de ce tantôt, han ?

– Pas si je peux l'empêcher, Tante Margaret a dit en regardant Marcus qui ratissait des feuilles contre la barrière. Pas si je peux t'empêcher, canaille.

– Bon, faut que je parte, j'ai dit. Je vais à La Nouvelle-Orléans avec Bonbon.

– La Nouvelle-Orléans, mon œil, Tante Margaret a dit. Il l'emmène à Baton Rouge faire des achats.

– Qu'est-ce que vous avez dit, Tante Margaret ?

– Exactement c'que je viens de dire. Il emmène Pauline à Baton Rouge faire des achats.

– Il m'a dit…

– Hmmm, elle a fait en me coupant la parole.

– Louise le sait ?

– Est-ce qu'elle sait pas tout ce qu'il fait ?

– Et c'est la raison qu'elle veut faire ratisser ses feuilles aujourd'hui, han ?

Tante Margaret m'a pas répondu ; elle regardait Marcus. On l'a regardé tous les deux un instant, puis je lui ai dit que je partais.

7

J'ai mené le camion jusqu'au magasin où je pensais que Bonbon m'attendait. Il est sorti, il m'a dit de me pousser, et il s'est mis au volant. On avait pas fait cinq cents mètres que j'ai vu Pauline marcher au bord de la route. Elle était vêtue de rose, coiffée de son grand chapeau de paille blanche. Bonbon a stoppé le camion, et je suis descendu pour que Pauline puisse s'asseoir entre nous.

– Comment tu vas ? j'ai demandé quand on a recommencé à rouler.

– Fait chaud, elle a dit.

Elle a jeté un coup d'œil à Bonbon mais ils ont rien dit ni l'un ni l'autre. Elle était même assise un peu plus près de moi que de lui.

C'était donc pour ça qu'il avait besoin de moi, qu'il voulait que je les accompagne. Un Blanc pouvait rouler dans tout le Sud avec une Noire, sûr et certain, mais s'ils voyageaient seuls de jour, la Noire devait avoir l'air d'aller au travail ou alors d'en revenir. Habillée comme Pauline l'était là tantôt, avec cette odeur de poudre qui montait de son décolleté, ce serait dangereux pour elle. Non, on allait rien dire à Bonbon, ni à Pauline devant lui. Mais si on l'attrapait toute seule, on lui rappellerait de plus jamais recommencer, sûr et certain. Et des fois la manière qu'on vous rappelait, vous pouviez jamais l'oublier.

Alors c'était pour ça qu'ils avaient besoin de moi. Pauline était ma femme, pas sa maîtresse. Et personne poserait de questions. Même si les gens en savaient plus long, au moins ils poseraient pas de question.

Bonbon a roulé à cent dix sans arrêt jusqu'à Baton Rouge. Il ralentissait seulement quand il arrivait derrière une autre voiture. Mais sitôt que la voie était libre il doublait et remontait à cent dix. Pauline et lui n'ont pas échangé deux paroles. Elle lui jetait un coup d'œil temps en temps, quand elle trouvait qu'il allait trop vite. Une fois il a invectivé un type qui roulait trop lentement à son goût, et Pauline l'a regardé en disant :

– Oh là là !

Puis elle m'a regardé en souriant, la façon qu'une épouse sourit après avoir réprimandé son mari.

Quand on est arrivés à Baton Rouge, Bonbon s'est arrêté à la quincaillerie pour acheter un petit bout de fer, une pièce si minuscule que Tite aurait pu venir la chercher toute seule. Ensuite il a garé le camion dans un parc à autos pendant que j'allais faire des courses avec Pauline. Je suis pas un homme qui aime faire les courses – même acheter un pain, je déteste – mais j'aimais bien me promener avec Pauline. J'aimais bien la voir marcher devant moi entre les rayons des magasins. J'aimais bien la voir prendre des articles et les reposer soigneusement si elle en voulait pas. Elle possédait cette vraie féminité qui faisait qu'on aimait bien être avec elle.

– Comment tu trouves ça ? elle m'a demandé.

Elle me montrait une écharpe blanche à pois.

– C'est beau, la vendeuse blanche a dit.

Pauline lui a souri poliment, mais elle me regardait toujours. Elle voulait que je lui dise comment Bonbon allait trouver l'écharpe.

– C'est joli, j'ai dit.

Quand on est arrivés au rayon des bas, elle a demandé :

– Tu aimes ceux-là ?

J'ai regardé les bas, et ensuite ses jambes.

– Oui, j'comprends.

Pauline m'a souri. La petite vendeuse a regardé les jambes de Pauline, et elle a gardé la tête baissée. Quand on regardait ses jambes, puis celles de Pauline, on comprenait pourquoi elle était pas pressée de relever la tête. Pauline a acheté une ceinture pour Bonbon et on est partis. Quand on est retournés au camion, Bonbon dormait, son chapeau de cow-boy baissé sur la figure.

– Coucou, Pauline a fait.

Bonbon a relevé son chapeau et nous a regardés.

– Ah, vous êtes revenus ? il a dit en se redressant sur le siège.

On est montés dans le camion. Pauline a donné à Bonbon la petite boîte blanche qui contenait la ceinture. Il a ouvert la boîte, regardé la ceinture, et il a tendu la main pour ouvrir la boîte à gants.

– Tu la mets pas ? Pauline a demandé.

Elle se comportait de nouveau comme une épouse.

Il lui a pas répondu. Quand la porte de la boîte à gants s'est ouverte, j'ai vu son quarante-cinq. Il a rangé le paquet et claqué la porte.

– Où on va ? il a demandé.

– On rentre, Pauline a répondu, à dire qu'elle était colère.

– Jime ?

– J'suis toujours là, j'ai dit.

– Vous avez pas parlé tous les deux ?

J'ai attendu la réponse de Pauline.

– Si, on a parlé, elle a dit en le regardant, l'air colère. J'ai demandé à Jime s'il aimait mes bas, s'il aimait mon

135

écharpe. J'ai acheté des choses pour les enfants, et je lui ai demandé comment il les trouvait. Je lui ai demandé comment il trouvait ta ceinture. Il a dit que tout ça lui plaisait.

Bonbon a regardé Pauline les yeux plissés par-dessous son chapeau de cow-boy. On voyait que Pauline lui donnait pas les réponses qu'il voulait entendre. Elle s'est mise à regarder les autres voitures du parking. Bonbon avait toujours les yeux sur elle. Moi, assis contre la portière, j'attendais. J'espérais qu'ils allaient pas se disputer. Je tenais pas à assister à une dispute.

— Jime, tu connais un bon endroit pour aller prendre un verre ? Bonbon m'a demandé.

— Oui, je crois.

Bonbon a payé le gardien et on est sortis du parking. On a trouvé un bar où y avait beaucoup de mulâtres. Il faisait sombre et frais à l'intérieur. On s'est assis à une table contre le mur, et j'ai commandé le grand jeu, une pinte de bourbon, un seau de glace et une carafe d'eau. La serveuse qui nous les a apportés était une de ces jolies Créoles, avec des cheveux noir de jais longs jusqu'aux épaules. Quand je l'ai payée, j'ai levé les yeux vers son visage à la peau claire, et elle m'a souri. Je lui ai dit de garder la monnaie. Elle a hoché la tête et elle est partie.

— Bourreau des cœurs ! Pauline a dit.

— Elle est jolie, j'ai répondu.

J'ai ouvert la pinte de whisky et je l'ai posée sur la table. Bonbon paraissait pas disposé à préparer un verre pour lui ni pour Pauline, alors j'ai demandé à Pauline si elle voulait que je la serve. Elle a dit oui, alors j'ai servi le whisky, l'eau et la glace et je lui ai tendu le verre. Elle a hoché la tête en disant que c'était parfait.

— Je vous sers ? j'ai demandé à Bonbon.

— Ouais.

Je l'ai servi et Pauline lui a passé son verre. Il a pas remercié ni rien. Il a bu et reposé le verre sur la table. Son chapeau de cow-boy était sur la table aussi.

Je me suis servi et j'ai bu une bonne gorgée.

– Ah, c'est la vraie vie ! j'ai fait.

D'après moi, cette remarque allait démarrer la conversation, mais il s'est rien produit. On était assis là tous les trois, on regardait les autres clients. Y avait quelques nègres là-dedans, mais la plupart étaient mulâtres. Ils devaient prendre Bonbon pour un mulâtre aussi. Il avait la peau plus sombre que la plupart.

Le premier verre fini, on a commencé à en boire un autre. Pauline essayait d'engager la conversation avec Bonbon, mais lui restait assis à regarder les autres. Je me suis rappelé qu'il avait emporté le revolver avec lui. On voyait la bosse qu'il faisait sous sa chemise. Il en avait besoin partout où il allait. Il en avait besoin près des siens, les Cajuns, quand il était avec les Noirs dans les champs, il en avait même besoin près de ces mulâtres qui le connaissaient ni d'Ève ni d'Adam. C'était un homme qu'avait besoin d'un revolver partout où il se trouvait.

– Hé ! Pauline lui a dit doucement.

Bonbon l'a pas regardée. Il observait toujours les autres clients.

– Hé ! elle a redit de la même voix douce.

Il lui a jeté un regard en coin. Elle a posé sa petite main sur la grosse main qui tenait le verre. Puis elle s'est mise à lui passer le doigt sur le poignet. Elle lui a dit quelque chose très doucement, et il s'est penché pour entendre. Elle l'a tiré plus près pour chuchoter dans son oreille. La main sur son épaule, elle a chuchoté un long moment. Ensuite il a pris son verre et il a bu. Elle le quittait pas des yeux. Elle l'a regardé si longtemps qu'il a dû lui rendre son regard. Il la regardait pas en face, mais de côté. Pourtant, même à ce regard oblique, on voyait à quel point il tenait à elle. Durant un moment ils se sont regardés à dire qu'ils étaient seuls dans le bar. Rien qu'elle et lui dans cet endroit frais et sombre, seuls au monde.

J'ai reculé ma chaise, ce qui a rompu le charme. Ça lui a tout remis en mémoire. Ça lui a rappelé qu'il était blanc et qu'elle était noire. Ça lui a rappelé la présence des mulâtres. Ça lui a rappelé les Blancs à l'extérieur, qui n'aimaient pas ce genre de rapprochement en public.

– Où tu vas, Jime ? il a dit.

– Faire un tour. J'connais une fille qu'habite un peu plus loin dans la rue.

– T'as une fille ici, celle qui nous a servi le whisky.

– Non, je vais faire un tour, j'ai dit en m'éloignant.

– Jime ? (En deux grandes enjambées il m'a rattrapé.) C'est un bon endroit ici, Jime ?

– Vous en faites pas.

– J'veux dire pour nous deux ?

– Y a pas mieux. Parlez à ce gros type à l'autre bout du bar, j'ai dit en le désignant du menton. Il va vous arranger ça.

– Parle-lui, toi.

J'ai secoué la tête.

– Non, monsieur.

Il m'a regardé durement. Ça lui plaisait pas de m'entendre dire que j'allais pas lui servir de maquereau. Il a jeté un coup d'œil par-dessus son épaule à Vincent Delong, le propriétaire, puis de nouveau il m'a regardé. Il savait pas comment aller trouver un homme comme Vincent Delong, c'est pour ça qu'il voulait que j'y aille à sa place. C'est pour ça qu'il aurait voulu que Pauline me parle d'abord. Il était désarmé dans une situation pareille. Il avait envie d'être avec elle – oui, à le voir à la table on sentait combien il l'aimait et voulait être avec elle ; mais

138

fallait qu'il aille trouver un Noir, avec respect, pour lui demander une chambre. Il savait pas le faire. Il savait pas parler à un Noir sauf pour lui donner des ordres.

– À tantôt, j'ai dit, et je suis sorti.

8

J'avais pas d'amie qu'habitait dans la même rue, mais j'allais pas rester assis à cette table à observer leur petit jeu. J'allais pas lui servir de maquereau – et j'allais pas non plus rester dans ce bar pendant qu'ils seraient couchés ensemble dans une des chambres de Delong.

Je suis entré dans un autre bar deux ou trois rues plus loin, et j'ai pris une bière. Je me suis installé à une table tout seul. Y avait d'autres clients, ils riaient et causaient, certains dansaient, mais je faisais pas attention à eux. Je pensais à Bonbon et Pauline, et aussi à Marcus et Louise. Je me suis dit que c'était la faute du Vieux Planteur. C'est Lui qui les avait créés. Il avait pas créé la situation vu qu'Il avait toujours su qu'ils s'en chargeraient. Il les a créés, Il m'a créé, et Il a dit : « Bon, ce sera ton enfer. Tu veilleras sur eux. »

« Pourquoi moi ? j'avais dû dire. Pourquoi moi ? J'aime faire comme eux, moi aussi. Pourquoi j'devrais me serrer la ceinture et... »

« Tais-toi », Il avait dû répliquer.

Mais peut-être ça c'était pas passé comme ça du tout. Peut-être Il s'en fichait, la façon que ça se passait. Il avait cessé de s'en faire depuis belle lurette. Il secouait même plus la tête quand Il les voyait faire des choses qu'ils auraient pas dû. De même qu'Il secouait pas la tête s'Il avançait le mauvais pion aux échecs (quand Il y jouait tout seul) ou quand Il ratait un coup dans une patience. Pour Lui, ça faisait tout bonnement partie du jeu.

Non, c'était pas la faute du Vieux Planteur. Je m'y étais mis moi-même, dans cette mélasse. J'étais venu tout seul sur cette plantation, quand ma chérie était partie avec un autre homme à La Nouvelle-Orléans, et que moi, j'avais été trop honteux pour retourner chez moi. J'avais entendu dire que Hebert cherchait un homme capable de s'occuper des tracteurs, et j'étais venu ici me faire embaucher. Non, c'était pas le Vieux Planteur, c'était moi. C'était moi quand j'avais montré à Bonbon que je savais y faire avec n'importe quelle machine. Peut-être si j'avais pas montré mes qualités, il m'aurait pas accordé autant de confiance. Il m'aurait pas traité autrement que les autres. Il m'aurait pas raconté des histoires sur lui-même, sur sa famille – des choses qu'il disait jamais à personne. Non, il avait fallu que je lui montre mon savoir-faire avec les tracteurs. Et chaque fois, il m'en racontait un peu plus long. Mais je dis pas qu'il me racontait tout.

Je dis pas qu'il m'accordait toute sa confiance, parce que lui-même, il se faisait pas tellement confiance. Ce que je dis, c'est que pour lui j'étais quelqu'un à qui parler. Il avait besoin de parler à quelqu'un. Jusqu'à mon arrivée, il s'était coupé de tout le monde, excepté de Pauline. Il allait à la pêche et à la chasse avec ses frères, mais avec les autres il avait pas grand-chose à voir. Et la raison, c'était Pauline. Les gens s'en moquaient, qu'il ait une maîtresse noire. Que le contremaître blanc ait une maîtresse noire, tout le monde trouvait que c'était dans l'ordre des choses, même sa femme. Mais quand il a commencé à la négliger pour cette négresse, là tout a changé. Les Blancs n'aimaient pas ça du tout, et les Noirs rigolaient en douce. Bonbon savait comment on réagissait des deux côtés, et il savait qu'il pouvait se tourner ni vers les uns ni vers les autres. Alors quand moi, un étranger, je suis arrivé – un bougre qui

140

connaissait tout sur les tracteurs et les camions –, il a été content d'avoir quelqu'un à qui parler. Au début, il parlait seulement des machines de la plantation. Mais quand on a commencé à se connaître, il m'a parlé d'autre chose. Il me racontait ses parties de pêche et de chasse, les bagarres entre les Cajuns du fleuve. Il me disait combien sa famille était pauvre quand il était petit. Il était allé à l'école jusqu'à dix ans seulement. Il me parlait jamais de Pauline ni de Louise, mais il me parlait des parents de Louise, qu'il détestait. Et des fois il me racontait une chose ou une autre rapport aux deux petits garçons de Pauline, dont il était très fier. Je dis pas que Bonbon déballait sa vie sans arrêt. Ce que je dis, c'est qu'il avait besoin de parler à quelqu'un comme tout un chacun. Et comme je savais tout sur les camions et les tracteurs, c'est moi qu'il avait choisi.

J'ai vidé ma bière et j'en ai commandé une autre. Puis je suis retourné à ma table. Non, c'était pas la faute du Vieux Planteur. Et c'était pas Lui non plus qui m'avait collé Marcus sur le dos. Si j'avais dit à Bonbon le premier soir que j'étais trop occupé pour aller à Baton Rouge, j'aurais pas rencontré Miss Julie Rand. Mais non, il avait fallu que j'y aille. Et une fois là-bas, quand j'avais vu ce qu'elle essayait de me faire, j'avais pas eu le courage de l'envoyer promener. Je savais qui était Marcus, qu'il était capable de me planter un couteau dans le dos comme on fait la conversation, et pourtant, je m'étais laissé avoir, j'avais accepté le boulot.

Non, c'était pas à cause du Vieux Planteur. Le Vieux Planteur avait rien à voir avec ça. C'était moi – c'était ma figure. Quand on voit une figure comme la mienne, on sent qu'il faut en profiter.

Ma deuxième bière avalée, je suis retourné chez Delong. Le camion était toujours devant le bar, mais quand je suis entré, j'ai pas vu Bonbon ni Pauline. J'ai demandé à la serveuse. Elle m'a montré Delong au bout du bar. Je lui ai demandé à lui.

– Il est là dans la maison, il a dit. C'est ton ami ?

– Mon contremaître. Sur une plantation de l'autre côté du fleuve.

– Ah bon. Ouais, il m'a demandé une chambre, je lui en ai donné une. J'ai vu qu'il avait un revolver.

– Ouais, il en a toujours un.

– Pauvre bougre, Delong a dit. C'est triste, quand un homme a tout le temps besoin d'une arme, non ?

– Oui, c'est triste.

Delong a secoué la tête.

– Ils ont pris la chambre pour combien de temps ? j'ai demandé.

– Une heure ou deux.

– Ils y sont depuis longtemps ?

– Un peu plus d'une heure.

– Je vais revenir.

Je suis pas retourné dans le même bar. Je suis allé dans un autre, plus petit, au coin de la rue. J'y ai pris une bière et je suis revenu. Delong m'a dit qu'il était allé voir, que Bonbon dormait.

– D'après la femme, ils restent encore une heure.

Je suis allé dans le deuxième bar et une heure plus tard j'étais là. Delong venait de faire sa tournée. Il possédait une grande maison blanche à côté du bar, et il louait des chambres justement pour ça. Il avait pas de filles sur place, c'était défendu par la loi, mais on pouvait en amener une et avoir une chambre. Le lundi et le vendredi on voyait les draps sécher sur une corde à linge dans la cour derrière.

– Il est réveillé là tantôt, mais il reste encore une heure, Delong m'a dit. Il est fou de cette négresse, non ?

– Oui.

Delong a ri. Il avait plein de dents en or. J'ai pris une bière au bar rien que pour pouvoir regarder la serveuse. Puis je suis allé attendre dans le camion.

9

Après mon départ, Tante Margaret était retournée sur la galerie et s'était assise dans son fauteuil à bascule. Elle disait que Tite était restée un moment assise sur ses genoux, puis elle avait voulu sortir dans la cour, où Marcus travaillait. Elle voulait pas que Tite y aille, mais la fillette se trémoussait tant sur ses genoux qu'elle a dû la laisser partir.

– Reviens pas pleurer que tu t'es piqué la jambe sur des orties, tu m'entends ? elle lui a dit.

Tite a pas répondu. Tante Margaret l'a regardée traverser le jardin jusqu'à l'endroit où Marcus travaillait. Marcus s'est arrêté un instant pour lui dire un mot, puis il a repris son travail. Tite s'est mise à sautiller.

« Cette enfant va se fatiguer si son cœur bat trop vite », Tante Margaret a pensé.

– Tite ? elle a appelé. Petite ?

Tite continuait à sauter.

– Qu'est-ce qu'elle a cette enfant ? Tante Margaret a crié à Marcus.

– Rien, il a répondu.

Et prenant le balai contre la barrière, il le lui a donné. Mais le balai était si lourd que Tite pouvait à peine le déplacer.

« Ce garçon veut faire travailler la petite, il va lui faire du mal », Tante Margaret s'est dit.

– Viens ici, Tite, elle a crié.

Tite a pas répondu.

– Tite ?

– *Non*, Tite a dit par-dessus son épaule. *Non non non*[*].

« Telle mère, telle fille, han ? Tante Margaret a pensé. Pour l'heure tu sais pas ce que c'est, mais je te donne dix ou onze ans pour vouloir la même chose… Eh, Seigneur, vois un peu où mes pensées s'égarent… Je devrais faire du repassage pendant que j'y suis, ça m'évitera de le faire la semaine prochaine. Seulement la rallonge ira pas jusqu'à la galerie, et faut que je garde un œil sur ce garçon. »

Elle est donc restée assise à regarder Marcus et Tite ratisser les feuilles. C'était dur pour Tite de pousser le grand balai, alors elle s'est remise à sauter sur place. Marcus est allé casser une branche de l'arbre.

– Qu'est-ce que tu fais, gibier de potence ? Tante Margaret a crié en se levant d'un bond de son fauteuil.

– Je lui fabrique un petit balai.

Il l'a donné à Tite qui s'est mise à balayer avec. Tante Margaret les a surveillés un moment du bout de la galerie, puis elle est retournée à son fauteuil près de la porte.

« Avant la fin de la journée j'aurai le cœur encore plus malade que cette enfant », elle s'est dit.

Tante Margaret était assise là depuis une heure environ quand Louise est sortie de la chambre et entrée dans la cuisine. Après avoir pris de l'eau dans la glacière, elle est allée sur la galerie de derrière s'allonger sur le petit sofa. Tante Margaret voyait seulement ses pieds, les orteils en l'air.

« Couche-toi où tu veux, sur tout ce que tu veux ; tant que c'est derrière la maison et qu'il ratisse les feuilles devant », Tante Margaret pensait.

Présentement elle les surveillait tous les deux : tantôt les pieds nus de Louise, tantôt Marcus qui ratissait les

---

[*] En français dans le texte. (*N.d.T.*)

feuilles. Tite travaillait à côté de Marcus. Chaque fois qu'il ramenait le râteau, Tite ramenait sa petite branche. Ses cheveux blancs faisaient penser à un chiffon piqué sur un bâton.

Tante Margaret a repensé à son repassage. Elle savait que la rallonge irait pas jusqu'à la galerie, mais si elle repassait dans le salon, elle verrait toujours Louise allongée sur le sofa. Et elle s'est dit que surveiller l'un ou l'autre, c'était aussi bien que les surveiller tous les deux. Elle venait de se lever pour rentrer dans la maison quand elle a vu l'auto de Marshall Hebert descendre les quartiers. Marshall a ralenti assez longtemps pour regarder le garçon à travers la barrière avant de poursuivre son chemin. Tante Margaret est allée sur la galerie de derrière prendre la planche à repasser. Il fallait qu'elle se penche par-dessus Louise pour sortir la planche du coin. Couchée sur le sofa, Louise feuilletait un magazine. Elle a pas levé les yeux une seule fois. Elle tournait les pages à dire qu'elle avait lu le magazine des centaines de fois, et savait d'avance ce qu'elle trouverait à la page suivante. Après avoir sorti la planche du fouillis de pelles, sarclettes, râteaux et haches, Tante Margaret a encore jeté un coup d'œil à Louise. Elle portait un fin corsage vert et une jupe plissée blanche. À la place de boutonner le corsage jusqu'en bas, elle avait noué les deux bouts, laissant une partie de son ventre à l'air. Sa jupe, qui lui couvrait à peine les genoux quand elle était debout, remontait sur ses cuisses là tantôt. Tante Margaret a regardé ses ongles de pied vernis, puis le magazine. Elle voulait voir la figure de Louise, mais Louise tenait le journal trop haut.

Tante Margaret est retournée dans le salon avec la planche à repasser. Elle a pris le fer sur la cheminée et l'a branché à la prise de l'ampoule du plafond. Pendant que le fer chauffait, elle est sortie sur la galerie jeter un coup d'œil à Marcus. Tite et lui se dirigeaient vers la maison.

– Où tu crois aller comme ça alors?

– De l'eau, il a dit.

– Y a un robinet dans la cour derrière.

– Tite m'a dit où il est.

La figure et la chemise de Marcus étaient trempées de sueur. Deux ruisselets de sueur coulaient aussi sur la figure de Tite.

Pendant que Marcus et Tite faisaient le tour, le chien est sorti de sa cachette sous la maison et s'est mis à aboyer après Marcus. Il les a suivis tout le long jusqu'à la cour de derrière, en montrant les dents à Marcus à travers la barrière.

Quand Tante Margaret a regardé vers la galerie de derrière, elle a vu que les orteils de Louise étaient pointés dans l'autre direction.

– Ma parole, cette fille essaie de lui montrer ce qu'il faut pas…, Tante Margaret a dit tout haut en se dirigeant par là-bas.

Quand elle est arrivée, Marcus avait tourné le robinet et laissait l'eau couler dans le baquet.

– Bois, et retourne devant, Tante Margaret a dit.

– Elle est chaude, cette eau, Marcus a répondu.

– Pas si chaude que ça. Bois et retourne à tes feuilles.

– J'veux pas me brûler avec cette eau. Vous avez rien de frais à l'intérieur, de la limonade ou aut'chose?

Tante Margaret avait rien dit, elle racontait, elle l'avait seulement regardé. Elle voulait pas prononcer une vilaine parole, vu que le lendemain était son dimanche de la Détermination.

Tout le temps que Marcus a laissé l'eau couler dans le baquet, elle disait, il regardait Louise couchée sur le sofa. Mais Louise faisait comme s'il était pas là. Allongée là, la moitié du ventre à l'air, la jupe relevée à mi-cuisses, elle faisait comme s'il était pas là. Tante Margaret tâchait de la cacher autant qu'elle pouvait, mais où qu'elle se tienne, Marcus voyait toujours une partie ou une autre de son corps. Et la façon que Louise était couchée là, qu'il voie ses ongles peints ou son ventre dénudé, ça pouvait attirer autant d'embêtements.

– J't'ai pas dit de boire et retourner devant? Tante Margaret a répété.

– Bon, elle doit être assez fraîche maintenant.

Il a baissé la tête et bu au robinet. Quand il s'est redressé, Tite a voulu qu'il la fasse boire.

– Non, tu la laisses pas boire, Tante Margaret a dit. Elle a son gobelet ici-dedans, et de l'eau de la glacière.

– Tu peux pas en avoir, il a dit.

– Dolo, Tite a fait, en sautant sur place. Dolo, Dolo.

– La vieille dame sur la galerie dit que tu peux pas en avoir.

– Dolo, dolo, dolo, elle a dit en sautant toujours.

Il l'a soulevée et tenue sous le robinet.

– Penche la tête sur le côté. Sors pas ta langue comme un serpent, penche la tête sur le côté. Sur le côté, Tite.

Il l'a reposée. Elle a recommencé à sauter.

– Tais-toi un peu. Tu vas en avoir. Regarde-moi maintenant. Regarde ce que je fais. (Il a bu.) Tu vois?

– Ou-i.

Il l'a reprise.

– Bon, penche la tête sur le côté. Sur le côté, sur le côté, Tite.

Tante Margaret regardait le criminel essayer de noyer l'enfant, pendant que cette femme, la maman de la petite, couchée là la jupe relevée à mi-cuisses, disait pas un mot. Le chien en disait plus long, d'après elle : au moins il continuait à grogner contre le forçat à travers la barrière.

Marcus a reposé Tite par terre.

– Retourne devant maintenant, Tante Margaret a dit.

– Faut que j'arrête l'eau.

– Arrête-la et retourne à tes feuilles.

Durant tout le temps qu'il fermait le robinet, il regardait Louise vautrée sur son sofa. Puis Tante Margaret l'a vu sourire. Elle s'est tournée vivement pour regarder Louise. Mais Louise a remonté le journal pour cacher sa figure. Tante Margaret a fait face à Marcus de nouveau.

– Je t'ai dit de partir. Je parle sérieusement.

– Viens, Tite, il a dit.

Tite lui a pris la main et ils ont refait le tour de la maison. Le chien les suivait, il aboyait après Marcus à travers la barrière. Louise tenait le magazine devant sa figure comme si elle lisait. Mais, Tante Margaret expliquait, elle savait bien qu'elle lisait pas, vu qu'elle était à peine capable de lire ou d'écrire son propre nom.

Tante Margaret est retournée sur la galerie de devant. Elle voyait Tite et Marcus traverser le jardin main dans la main. Marcus a ramassé son râteau et Tite sa branche et ils se sont remis à l'ouvrage.

Tante Margaret est restée encore cinq minutes à les surveiller. L'auto de Marshall Hebert a remonté les quartiers. En passant devant la cour, il a encore ralenti pour regarder Marcus à travers la barrière.

Tante Margaret est rentrée dans la maison et elle a commencé à repasser. Elle avait fini deux chemises blanches de Bonbon quand Louise s'est levée pour aller sur la galerie de devant. Du seuil de la porte, elle a regardé l'endroit où Marcus et Tite ratissaient. Debout là, pieds nus, elle ressemblait davantage à une fillette de douze ans qu'à une femme de vingt-cinq ans, selon Tante Margaret.

– Judy ? Louise a crié.

– Ou-i, maman.

– Travaille pas trop dur.

Tante Margaret a cessé de repasser pour regarder Louise debout dans l'encadrement de la porte : elle savait que c'était pas à Judy que Louise parlait, mais à Marcus. Louise a quitté la porte pour retourner dans sa chambre. Tante Margaret a repris son repassage.

10

Tante Margaret a songé à l'église le lendemain et s'est mise à chanter. Elle pensait aux gens qui seraient là, aux habits qu'ils auraient sur le dos, à l'endroit où ils seraient assis. Elle savait que Tante Polly Williams aimait à s'asseoir près de la première fenêtre près de la chaire. Tante Polly arrivait à l'église avant tous les fidèles rien que pour avoir ce siège. Si quelqu'un d'autre le prenait avant elle, elle était colère toute la sainte journée. Des fois Glo Hawkins s'y asseyait pour faire rager Tante Polly. Un jour elles s'étaient battues dans l'église. Tante Polly avait dit à Glo Hawkins de se pousser, et Glo Hawkins lui avait répondu d'aller s'asseoir ailleurs. Tante Polly s'est mise à taper sur la tête de Glo avec son sac à main, et il a fallu trois ou quatre personnes pour l'arrêter. Tante Margaret, en pensant à Tante Polly, a pas pu s'empêcher de sourire. Elle a songé aux autres fidèles qui pourraient pas venir à l'église parce qu'ils étaient malades. Ça lui serrait toujours le cœur de penser aux malades.

Tante Margaret a entendu des bruits dans la chambre de Louise. On aurait cru que Louise poussait quelque chose de lourd à travers le plancher. Tante Margaret a cessé de chanter pour tendre l'oreille un moment. Louise a plus poussé ce qu'elle déplaçait. D'après Tante Margaret, on aurait dit la commode. Elle s'est remise à chanter. Louise s'est remise à pousser la commode. Tante Margaret a posé son fer, elle est sortie sur la galerie. Mais Marcus ratissait les feuilles exactement comme il était censé. Tante Margaret est rentrée, elle est retournée à son repassage en chantant. Les déménagements ont repris de plus belle. Tante Margaret s'est arrêtée, elle a écouté ; le bruit a cessé. Elle a encore chanté ; le bruit a recommencé. Elle s'est arrêtée et tournée vers la porte. Elle fredonnait toujours son chant d'église, mais si doucement qu'elle était sûre que Louise pouvait pas l'entendre. Tout le temps qu'elle est restée devant la porte, elle a entendu aucun bruit.

Tante Margaret s'est dirigée vivement vers la porte de devant. Cette fois, elle a vu Marcus regarder vers la maison. Elle est sortie, elle a gagné le bout de la galerie aussi vivement, et elle a regardé la fenêtre de la chambre de Louise passé le coin de la maison. Elle a rien vu d'autre que les rideaux. Elle pensait que si elle restait assez longtemps, elle verrait les rideaux bouger, mais ils sont restés immobiles. Tante Margaret a quitté le coin et jeté un nouveau coup d'œil à Marcus. Il avait repris son travail ; Tite travaillait juste à ses côtés.

Tante Margaret est rentrée, elle s'est remise à repasser. Tout était silencieux dans la chambre de Louise là tantôt. Même quand Tante Margaret a recommencé à chanter, il s'est rien produit dans la pièce.

Un quart d'heure plus tard, elle a vu Marcus et Tite marcher vers la maison. Ils ont fait le tour pour aller au robinet, et au bout d'une minute elle a entendu l'eau couler dans le baquet. Elle s'est écartée de la planche à repasser pour regarder Marcus boire ; ensuite il a soulevé Tite pour la faire boire à son tour.

– Assez ? il a demandé à Tite.

– Ou-i.

Marcus et Tite sont repartis devant, et Tante Margaret a continué sa besogne. Elle repassait pas depuis une minute, elle disait, quand elle a entendu un grand bruit sourd dans la chambre de Louise. Elle a sursauté et fait volte-face, puis elle est allée à la porte demander à Louise ce qui se passait. Louise a pas répondu. Tante Margaret a entendu un nouveau bruit ; comme si deux personnes se déplaçaient rapidement en tâchant de le faire en silence.

– Attendez ! Tante Margaret a dit. Ça peut pas être ce que je crois.

Elle a couru à la porte et regardé dans la cour, mais elle a vu ni Marcus ni Tite. Elle est repartie en courant vers la galerie de derrière, et elle les a pas vus près du robinet non plus. Alors elle a encore couru vers le devant, jusqu'au bout de la galerie cette fois, pour regarder sur le côté de la maison. Tite était debout devant la barrière, elle donnait sa main à lécher au chien. Marcus avait disparu.

Tante Margaret a failli crier à Tite d'arrêter, mais elle s'est souvenue qu'elle avait le cœur fragile. Elle avait peur aussi, si elle criait trop fort, que Tite retire sa main trop vite et se fasse mordre par le chien. Alors elle a quitté le bout de la galerie et couru vers les marches, mais après en avoir descendu la moitié, elle est remontée aussi vite.

Seigneur ! elle a dit. Seigneur !

Elle est rentrée dans la maison et s'est mise à taper du poing sur la porte.

– Sors de là, mon garçon, elle disait en frappant. Sors de là, tu m'entends ?

Elle a entendu quelque chose taper violemment contre le mur. On aurait dit un meuble.

– C'était quoi ça ? elle a crié. Qu'est-ce qui a tapé ?

Aucune réponse. Elle a encore entendu le même bruit. Ça pouvait être une chaise que l'un des deux lançait contre le mur.

Tante Margaret a reculé et elle s'est jetée contre la porte pour l'ouvrir avec son épaule. Le petit loquet était si fragile, elle savait que même Tite aurait pu le faire sauter en poussant assez fort. Elle a poussé un grand coup. Mais c'était comme si elle avait poussé un des chênes de la cour. Elle est retombée en arrière.

– Que diable…

Elle s'est relevée et elle a recommencé. Pareil que pousser un des chênes de la cour.

– C'est donc ça qu'elle faisait alors, Tante Margaret a dit. Elle bloquait la porte avec des meubles.

Puis elle a crié à travers la porte :

– Sors de là, mon garçon, tu entends ?

L'un des deux a encore envoyé la chaise contre le mur. Elle a essayé d'imaginer quelle chaise c'était, mais elle avait pas le temps d'imaginer, elle disait. Elle a voulu redonner un coup d'épaule dans la porte, mais elle a pensé à Tite, et elle a couru sur la galerie. L'enfant était toujours à la barrière et le chien lui léchait la main.

– Seigneur ! Tante Margaret a dit en courant à l'intérieur.

Juste à ce moment-là, la chaise ou un autre objet lourd a tapé contre le mur. Puis le silence est revenu – un silence de mauvais augure.

– Qu'est-ce que vous faites ? Tante Margaret a dit pas trop fort, l'oreille collée contre la porte. Miss Louise, qu'est-ce que vous faites là-dedans ?

Elle a entendu un grand bruit sourd et violent, comme si quelqu'un avait sauté d'un bout à l'autre de la chambre. La voix de Marcus a dit :

– Je te tiens, joli joli p'tit cœur. Je te tiens, han ? Han ? Donne-moi tes deux petites pommes. Donne. Donne-moi ces deux petites pommes d'amour.

Tante Margaret s'est jetée contre la porte de toutes ses forces, mais autant se jeter contre le chêne. Elle est tombée, elle s'est relevée, et elle a recommencé : cette fois on aurait dit qu'il y avait un deuxième chêne.

Elle a entendu une claque.

– Qu'est-ce que c'était ? elle a crié, en tendant l'oreille. Qu'est-ce que c'était ? Tu as giflé cette femme blanche, mon garçon ?

La voix a dit, elle racontait :

– Alors mon joli p'tit cœur, tu l'enlèves ou je te l'arrache ?

– Elle va rien faire et toi non plus, Tante Margaret a dit à travers la porte. Pas tant que j'aurai encore un souffle de vie.

Elle a frappé la porte avec son épaule. Elle est tombée, elle s'est relevée, et elle est sortie en courant sur la galerie pour voir ce que Tite faisait. L'enfant se faisait lécher la main par le chien, alors Tante Margaret est retournée à l'intérieur.

Marcus était en train de dire :

– Seigneur Dieu, regarde comme t'es jolie. Seigneur Dieu, je savais pas que t'étais si jolie. Comment qu'un homme peut laisser toutes ces jolies choses pour aller… Oh, Seigneur, regarde tout ça. Et regarde ces deux jolies petites pommes, regarde-les !

Tante Margaret a encore tapé et retapé contre la porte. Elle a entendu Marcus dire :

– Regarde-moi maintenant, regarde comme je suis joli. Tu vois ça ? Tu vois ?

– T'es tout nu là-dedans, mon garçon ? Tante Margaret a crié. T'es tout nu là-dedans ?

– Laisse-moi t'embrasser, il disait. Oooh, que t'es douce à embrasser. Seigneur, Seigneur, ayez pitié. Il sait que t'es si douce ? Laisse-moi embrasser cette petite pomme… et celle-là maintenant. J'ai jamais goûté des petites pommes aussi sucrées. Surtout celle-ci… Vas-y touche-le. C'est ça, touche-le. Il te fera pas de mal. Tu vois ? Tu vois ?

Tante Margaret a encore tapé sur la porte, tapé, tapé, tapé. Puis elle l'a entendu rire. Elle a compris qu'il portait Louise vers le lit, parce que ensuite elle a entendu le sommier grincer quand ils se sont couchés. Elle a encore poussé sur la porte, pas de l'épaule, des deux mains. Mais elle savait que c'était inutile. Même si elle était entrée dans la chambre, il aurait été trop tard. Elle l'a su en entendant Louise gémir profondément.

Alors elle a quitté la porte et elle est sortie pour écarter Tite de la barrière. Pendant qu'elle la menait à l'autre bout du jardin, l'enfant a levé la main pour lui montrer une pièce de monnaie. Tante Margaret a rien dit ; elle s'est mise à pleurer sans que Tite la voie. Elle s'est assise au pied d'un des gros chênes, et elle a pris Tite sur ses genoux.

11

Tante Margaret ignorait combien de temps elle était restée assise à cet endroit. Face à la maison, elle pleurait. Tite s'était endormie sur ses genoux. Elle lui a passé la main sur la tête. Les cheveux de Tite étaient blancs comme du coton, et au toucher on aurait dit de la fourrure de lapin. Ils étaient pas beaucoup plus longs que de la fourrure de lapin, du reste.

Tante Margaret a jeté un coup d'œil vers la maison. Elle était silencieuse, trop silencieuse. Le jardin était trop silencieux, toute la plantation aussi.

« Ça finira mal, Tante Margaret a pensé. Pour les autres ça peut aller, ceux qui sont à Baton Rouge – oui, pour eux ça peut aller. Ils ont le droit de faire ce qu'ils font. Tout le monde trouve ça normal. Ça s'est fait depuis le début et ça se fera toujours. Mais cette chose-là, ça va mal se terminer. Il va payer, et elle aussi. Ils vont la payer cher tous les deux, cette journée. »

Quand Louise est sortie pour la première fois de son bayou près du lac Charles, elle savait rien de rien. Elle savait pas où elle était, elle savait pas qui elle était, c'est à peine si elle savait pourquoi elle était là. Elle avait quinze ans à l'époque – c'était il y a dix ans – mais elle se comportait comme si elle avait huit ou neuf ans. Comme un veau d'une semaine qu'on change de pâturage. On a fait venir Tante Margaret pour l'aider à tenir la maison. Mais la plupart du temps, elle avait l'impression de parler à une folle ; elle écoutait rien, Tante Margaret disait.

Louise se sauvait. Mais chaque fois qu'elle partait, Bonbon la ramenait. Une fois c'est son papa et ses deux frères qui l'ont ramenée. Tante Margaret disait que son papa avait la figure rouge, de grandes oreilles et un gros nez. Il avait les dents jaunes à force de chiquer du tabac. Ses deux fils étaient pareils que lui ; deux lascars petits, puissamment bâtis. Ils chiquaient tous les deux, et l'un d'eux avait une bouteille de vin dans la poche arrière de sa salopette. Il avait un tricot et des godillots comme son frère et son papa. Il a sorti la bouteille et l'a tendue à son papa, qui a défait le bouchon et bu une gorgée, avant de la passer à son autre fils, l'aîné. L'aîné a bu et l'a rendue à son frère. Le cadet, avant de boire, a tendu la bouteille à Bonbon. Il a secoué la tête, alors le cadet a bu et rebouché la bouteille, qu'il a remise dans sa poche.

– La prochaine fois qu'elle essaie, fous-lui une bonne trempe, le papa a dit à Bonbon. T'entends, Louise ?

Le papa, les frères et Bonbon étaient dans la cour, Louise avec elle sur la galerie, Tante Margaret racontait. Louise est rentrée dans la maison et Tante Margaret l'a suivie.

– J'lui fous une bonne trempe, si elle essaie encore, le papa a encore dit. La bouteille, Jules.

Louise a plus tenté de se sauver. Elle restait de son côté et parlait à peine à Tante Margaret ou à Bonbon. Ça lui était égal, à Bonbon, vu que toute façon il passait le plus clair de son temps dans le lit de Pauline présentement. Sept ans après son arrivée, Louise a mis au monde une petite fille. Le bébé était venu trop tôt, il pesait deux kilos seulement. Le moment où Louise avait vu Tite, Tante Margaret disait, elle avait plus eu qu'une pensée : se venger. Bonbon devrait payer. Faudrait qu'il paie pour les souffrances qu'elle avait endurées quand il était dans le lit de Pauline pour ce qu'elle avait subi dans le bayou avec ses frèrès et son papa.

Mais Louise savait pas comment se venger, Tante Margaret disait. Elle savait pas comment elle allait s'y prendre. Elle avait vingt-deux ans présentement, elle avait donné naissance à un enfant, mais elle-même était encore une enfant. Elle avait jamais appris à être une femme avec son papa et ses frères (personne savait exactement si sa maman était vivante ou morte), et Bonbon lui avait rien appris non plus. Alors elle ignorait comment une femme peut se venger. Elle savait que les hommes se battaient, échangeaient des coups de feu et des coups de couteau, mais que pouvait faire une femme ?

Elle observait Pauline. Elle l'aimait et la détestait en même temps. Elle aimait les habits de Pauline, ses chapeaux, sa façon de marcher. Elle la regardait comme une jeune fille regarde une femme, avec admiration. Des fois elle essayait même de marcher comme elle.

Mais elle la détestait aussi. Pas parce qu'elle voulait que Pauline lui rende son mari ; elle en voulait pas, de son mari. Elle voulait être libérée de lui. Mais elle savait que c'était impossible. Si Pauline avait été blanche, tout aurait été différent. Bonbon l'aurait épousée, et elle, Louise, aurait pu partir. Mais Pauline était pas blanche, le mariage était hors de question. Comme il pouvait pas y avoir de mariage, et qu'elle pouvait pas se sauver sans qu'on la ramène, elle devait trouver un autre moyen de se libérer. Alors elle observait Pauline, et aussi les jumeaux quand ils passaient devant le portail. Aucun doute, c'était bien les fils de Bonbon. C'était les frères de sa fille, mais ils avaient rien de commun avec elle. Ils étaient pleins de vie alors que Tite en manquait totalement. En les observant, eux et leur mère, Louise a trouvé comment se venger.

Seulement elle savait pas si elle le ferait. Faudrait qu'elle s'entraîne un peu, qu'elle s'arme de courage. Elle avait pas peur de Bonbon. Il pouvait pas lui faire plus de mal que son papa et ses frères lui en avaient déjà fait dans le bayou. La douleur physique n'avait plus d'importance. Non, elle avait besoin de courage pour amener un homme à la remarquer. Parce que, Tante Margaret expliquait, elle savait pas si quelque chose chez elle méritait l'intérêt. Comme Bonbon la regardait jamais, elle était pas trop sûre qu'un autre allait le faire. Alors elle avait dû rassembler son courage, s'entraîner un peu. Elle devait rester devant la glace pendant des heures à se regarder ; à se tourner d'un côté, de l'autre, à s'examiner sous toutes les coutures, en se demandant si quelqu'un viendrait. Elle devait s'habiller, s'allonger sur le lit pour se reposer un peu, puis se relever, enlever ses habits et se regarder encore dans la glace.

Puis elle a fait des tentatives. Elle a commencé à s'asseoir sur la galerie, en attente. Si elle obtenait le regard qu'il fallait, elle agirait en conséquence. Elle se moquait que l'homme puisse ou pas, elle voulait seulement qu'il la touche. Elle voulait une marque sur sa chair. Il lui fallait une preuve, une marque. Certaines femmes blanches avaient juste prétendu, et elles avaient fait lyncher un nègre ; d'autres avaient rêvé, et un nègre avait été lynché ; d'autres encore l'avaient fait elles-mêmes, et un nègre avait été lynché ; mais Louise avait besoin de la marque. Parce qu'elle était pas sûre d'être assez jolie, alors elle avait peur, si elle criait au viol, que tout le monde se moque d'elle. Avec une marque, faudrait bien que Bonbon tue le nègre. Marshall Hebert se débarrasserait forcément de Bonbon pour les vols qu'il avait commis – et elle serait libre de partir.

Tante Margaret était adossée à l'arbre, Tite dans les bras. L'enfant dormait toujours ; Tante Margaret sentait sa respiration.

Une fois de plus Tante Margaret a regardé la maison. Elle était silencieuse, le jardin aussi. Pas un chant d'oiseau dans les arbres, pas un aboiement de chien dans les quartiers.

« Mais c'est pas du viol présentement, Tante Margaret a pensé. J'étais là, et je sais qu'elle a poussé la commode derrière la porte. Mais même si c'est pas du viol, si elle dit qu'il l'a touchée, est-ce qu'ils vont pas le tuer pareillement ? Est-ce qu'il est pas déjà mort, aussi mort qu'il le sera forcément un jour, même s'ils le tuent pas avant la semaine ou l'année prochaine ? Quand elle sera prête, ça se produira. »

Tante Margaret a vu Louise sortir sur la galerie et faire le tour de la maison. Elle a appelé le chien et l'a tenu par le collier. Marcus a sauté par la fenêtre, le chien a grogné et tenté d'échapper à Louise. Marcus a franchi la barrière, et Louise est rentrée après avoir lâché le chien. Tite s'était réveillée, et quand elle a vu Marcus venir dans le jardin, elle a quitté les genoux de Tante Margaret pour courir vers lui. Marcus l'a prise par la main et l'a ramenée vers le tas de feuilles. Tante

Margaret y était déjà. Elle a rien dit à Marcus, elle l'a seulement regardé un moment. Il a pris son râteau et l'a observée par-dessus son épaule. Tite a pris sa branche.

– Pousse-toi, elle a dit à Tante Margaret. Pousse-toi, tu nous gênes.

12

On est rentrés dans les quartiers juste après la tombée de la nuit. La cour de Bonbon était rouge. D'abord j'ai pas compris ce qui se passait ; puis je me suis rappelé que Marcus devait brûler les feuilles après les avoir ratissées. Quand on est passés devant la maison je l'ai vu debout devant les flammes. Toute la cour et le devant de la maison étaient illuminés.

Après avoir raccompagné Pauline, puis moi, Bonbon est retourné en haut des quartiers. Quand il est entré dans le jardin, Margaret disait, il est resté un moment dans l'allée pour regarder Marcus avant de continuer vers la maison.

– T'es encore là, Margaret, il a dit.

– Oui, monsieur.

Il est entré dans la cuisine, il s'est lavé la figure et les mains, et il s'est mis à table. Une minute plus tard Louise et Tite sont sorties de la chambre. Louise avait une robe rose et une ceinture en cuir noir verni autour de la taille. Elle portait des sandales, pas des chaussures ; elle portait jamais de chaussures. Tite était vêtue d'une petite robe bleue avec un col blanc et de la dentelle sur les manches.

– Vin-voi, Bonbon a dit à Tite.

Elle est allée à lui, il l'a soulevée et l'a assise sur son genou. Il l'a regardée, et il a passé la main sur sa joue et ses cheveux. Les cheveux de Tite paraissaient encore plus blancs sous les grosses mains rouges de Bonbon, disait Tante Margaret. Bonbon et Tite ont échangé quelques mots en créole*, puis il l'a embrassée et reposée par terre. Il l'a suivie des yeux pendant qu'elle retournait à sa chaise. Tante Margaret disait qu'elle avait jamais vu un père aimer son enfant plus tendrement que Bonbon à cet instant.

Bonbon et Louise se sont regardés et Bonbon a dit quelque chose à mi-voix. Louise a rien dit; elle s'est mise à table et elle a attendu que Tante Margaret les serve. Tante Margaret a posé les plats sur la table et elle est retournée près de son fourneau.

Ils ont mangé en silence. Tante Margaret ne quittait pas Louise des yeux. Elle redoutait pas que Louise raconte ce qui s'était passé – elle savait qu'elle allait rien dire depuis qu'elle était sortie dans la cour tenir le chien; elle la regardait pour voir quel changement s'était produit si un changement s'était produit.

Louise a levé la tête et regardé Bonbon. Au bout d'un temps il lui a rendu son regard. Il a parlé de La Nouvelle-Orléans. Louise a rien dit; elle avait la figure aussi vide qu'une feuille de papier blanc. Bonbon a jeté un coup d'œil à sa petite fille, puis il a baissé les yeux vers son assiette. Louise a continué à regarder Bonbon, puis elle a regardé Tante Margaret. Y avait pas plus d'expression sur sa figure que tout à l'heure en regardant Bonbon.

«Attends un peu, Tante Margaret a pensé. Attends un peu voir. Peut-être qu'il voit rien. Peut-être que t'as besoin d'un haut-parleur pour qu'il sache que t'as rebondi sur ce lit tout l'après-midi, mais je t'ai entendue, tu t'en souviens?»

---

* En cajun; à l'époque on appelait «créole» tous les français dialectaux de Louisiane. (*N.d.T.*)

Louise mastiquait lentement en regardant Tante Margaret. Son expression n'avait pas changé.

«Attends un peu, Tante Margaret a pensé. Attends un peu. T'essaies de me faire croire que tu sais pas ce que t'as fait?»

Louise s'est tournée vers Bonbon.

– Faisait chaud à La Nouvelle-Orléans? elle a dit.

Mais elle a baissé les yeux sur son assiette avant que Bonbon ait pu lui répondre.

Il a levé les yeux et grogné. Louise a attendu qu'il baisse la tête de nouveau pour le regarder encore. Elle mastiquait lentement; sa figure n'avait pas changé.

«Attends un peu, Tante Margaret a pensé. Attends un peu voir. T'as assez d'aplomb, toi, pour faire comme si rien s'était produit? Attends!» Et puis elle a pensé: «Si, si, je vois, quelque chose s'est produit. T'es qu'une gamine, un garçon est venu jouer avec toi. T'en as eu assez de te peinturlurer les ongles de pied et de feuilleter ce vieux magazine; tu voulais qu'un garçon vienne jouer avec toi. Il est venu, il a sauté par la fenêtre, il t'a coursée à travers toute la chambre, et quand il t'a attrapée il t'a emportée sur le lit; et là, il t'a tout fait oublier parce que c'était la première fois qu'un garçon te faisait tout ça. Oh, un autre est monté sur toi (Tite est là pour le prouver), mais il avait pas sauté par la fenêtre pour t'avoir, il t'avait pas coursé dans la chambre, il t'avait pas arraché tes habits, ni appelé tes tétons des jolies petites pommes d'amour. Mais celui-là a fait de la sorte, et à cause de ça, t'as oublié le projet que t'avais en tête? C'est tout ce que tu voulais, que quelqu'un, un Blanc ou un Noir, t'arrache tes habits et te dise que tes tétons ressemblent à des pommes d'amour? Ou alors, t'attends peut-être d'être fatiguée de lui, ça se fatigue, les enfants. Ou qu'on vous surprenne ensemble, ou que tu te rappelles les misères que t'as endurées? C'est quoi exactement?

Me dis pas que cet insensé peut tout effacer si facilement, des choses que tu prépares depuis que t'es arrivée ici. Et combien de temps tu crois que ça peut durer avant que ton mari découvre le pot aux roses ? Tu sais ce que tu fais ? Tu le sais ? J'ai entendu les cris pendant les lynchages, et c'est pas beau à entendre, je t'assure. »

Toujours sans changer d'expression, Louise a baissé les yeux sur son assiette. Tante Margaret a regardé Bonbon.

– Dis-lui de s'en aller quand tu partiras, Margaret, il a dit.

– Oui, monsieur.

– Je peux voir le feu, papa ? Tite a demandé en créole.

– Va avec Margaret, il a dit.

Tite s'est laissée glisser en bas de sa chaise. Tante Margaret l'a prise par la main et l'a emmenée dans la pièce de devant. Après avoir coiffé son grand chapeau de paille qu'elle avait mis pour venir le matin, elle est sortie dans la cour avec Tite. Le feu avait baissé, mais il en restait assez pour éclairer une partie de la cour. Tante Margaret voyait Marcus appuyé sur le râteau, les yeux fixés sur les flammes. Tite lui a échappé pour courir vers Marcus. Il a regardé l'enfant et lui a souri, puis il s'est mis à lorgner Tante Margaret par-dessus son épaule.

– C'est pas moi qu'il faut lorgner, Tante Margaret lui a dit. Je vais rien te faire. Il a dit que tu peux rentrer. Enfin, si t'as plus envie de sauter par cette fenêtre.

– J'suis prêt à partir.

– T'es bien sûr ? Il a l'air rompu, te fais pas de souci pour lui. Il te suffira de donner une pièce à Tite.

– Kess-cou-cé ? Tite a demandé.

Ni Marcus ni Tante Margaret lui ont répondu. Ils se regardaient toujours. Tante Margaret aurait voulu le battre, mais elle savait que ça servirait à rien.

Marcus a ratissé les feuilles qui restaient autour du feu. Quand elles ont été réduites en cendres, il a posé le balai et le râteau contre un arbre, et il est sorti de la cour. En revenant vers la maison avec Tite, Tante Margaret a vu Louise debout sur le seuil. Elle regardait Marcus s'en aller.

Tante Margaret m'a tout raconté plus tard ce soir-là dans sa cuisine, où nous étions assis à la table. Plus elle parlait plus j'étais en rogne. Je me voyais déjà entrer dans la chambre pour casser la gueule à Marcus. Et je voulais qu'il riposte pour pouvoir vraiment lui casser la gueule.

– Et les autres, à Baton Rouge ? Tante Margaret m'a demandé.

Assise près de la table, elle se penchait en avant les mains jointes.

Je lui ai raconté comment ça s'était passé à Baton Rouge avec Pauline et Bonbon.

– On dirait que t'es retourné dans ce café aussi souvent que moi près de la porte.

J'ai hoché la tête. Et puis j'ai pensé : « Pourquoi j'irais battre Marcus ? Pourquoi ? Est-ce que j'ai pas fait le maquereau ? Bu avec eux ? Trouvé un endroit où ils aillent coucher ensemble ? Pourquoi je battrais Marcus ? »

« Parce que tu sais ce qui peut arriver, voilà pourquoi, je me suis répondu. Parce que tu sais qu'ils sont sans pitié quand ils viennent vous chercher. Voilà pourquoi. Je devrais le battre, parce que s'ils découvraient ce qu'il a fait, la vie de tous les hommes, toutes les femmes et tous les enfants de par ici serait en danger. Voilà pourquoi. »

Je me suis levé pour partir.

– T'as eu ton souper ? Tante Margaret m'a demandé.

– J'ai pas faim, Tante Margaret. Merci.

J'avais qu'une idée en quittant la maison de Tante Margaret : rentrer chez moi casser la gueule à Marcus.

Mais avant d'avoir fait la moitié du chemin j'avais encore changé d'avis. Parce que je savais que ça n'arrêterait pas Marcus. Rien n'allait l'arrêter. Rien ne pourrait l'arrêter, à moins qu'on le tue ou qu'on l'enferme dans une prison. J'espérais, quand son procès viendrait, qu'on le mettrait en prison, mais en y réfléchissant j'ai su que ça n'arriverait pas. Parce que Miss Julie Rand avait donné à la famille de Marshall Hebert quarante ans de sa vie.

Arrivé chez moi, au lieu d'aller dans la chambre de Marcus, je suis entré dans la mienne. J'ai ouvert une bière, j'en ai bu la moitié, et j'ai jeté la bouteille par la porte. Je suis ressorti sur la galerie, en tapant mon poing dans la paume de l'autre main. Je sais pas combien de fois j'ai arpenté la galerie avant d'aller dans la chambre où il se trouvait. Il était couché sur le lit dans le noir. J'ai marché jusqu'au lit et je suis resté debout près de lui, au-dessus de lui. Il a pas bougé, il m'a même pas regardé.

– Quand ils viendront te chercher, Marcus, j'ai dit aussi calmement que je pouvais, compte pas sur moi, parce que je vais pas te cacher.

Il m'a même pas lancé un regard. Je serrais les poings, mais je savais que j'allais pas le frapper. Je frappe les gens pour me protéger ou pour protéger quelqu'un d'autre. Mais frapper Marcus, c'était perdre son temps.

13

Après ça, on a plus rien eu à se dire. Il restait de son côté de la maison, moi du mien. Il restait de son côté de la galerie, moi du mien. Y avait pas de division sur la galerie, pas de mur, ni de barrière, mais y avait une lame du plancher qu'on franchissait ni l'un ni l'autre. Quand il avait faim il allait manger chez madame Laura Mae. Je sais pas s'il se lavait la figure et les mains chez elle, mais il utilisait plus ma cuvette ni ma grande bassine. Je lui avais pas dit de pas s'en servir, je m'en foutais qu'il s'en serve ou pas ; mais vu qu'on se parlait plus, il en a déduit que je voulais pas qu'il se serve de mes affaires.

Le lundi, au champ, j'ai pas eu pitié de lui. J'ai conduit le tracteur exactement comme j'étais censé le faire quand trois hommes travaillaient derrière. Quand il a pris du retard, je lui ai jeté un sac que j'avais apporté de la grande cour. Quand on arrivait au bout de la rangée, Freddie, John et moi, on se reposait. Quand Marcus nous rattrapait, je repartais. John et Freddie comprenaient rien. Ils se disaient que Marcus et moi on s'était engueulés, mais ils savaient pas pourquoi.

Mais faire travailler Marcus comme une mule l'a pas plus changé que le coup de poing de Murphy ou la présence de Bonbon à cheval derrière son dos. À midi il a remonté les quartiers avec moi, couché de tout son long sur le maïs, et il l'a cherchée des yeux comme il avait fait les autres fois. Et elle aussi était là. Elle était assise dans le fauteuil une jambe repliée sous elle (à dire une fillette de dix ou onze ans) ; elle agitait un bout de chiffon blanc sur ses épaules comme si elle chassait les mouches. J'ai su que plus tard que c'était le signal pour lui faire comprendre quels jours il pouvait venir et quels jours il fallait pas.

À une heure le mardi, quand Tante Margaret est partie, Louise lui a demandé de revenir le lendemain après-midi. Tante Margaret expliquait que vu qu'elle travaillait le mardi, le jeudi et le samedi matin, elle comprenait pas pourquoi elle devait revenir le mercredi. Mais elle a rien dit, et le mercredi vers quatre heures et demie elle est retournée là-bas. Elle a demandé à Louise ce qu'elle avait à faire.

– T'occuper de Judy, Louise lui a dit.

Tante Margaret savait toujours pas pourquoi le mercredi tout d'un coup – et le tantôt par-dessus le marché –

elle devait s'occuper de Tite. Elles sont restées assises sur la galerie un moment, puis elles ont traversé la cour sous les grands arbres. Elles sont même allées au magasin acheter des boissons fraîches, et là, debout sur la galerie, elles ont regardé les bateaux à voile sur le fleuve.

Mais dans le magasin, juste avant qu'elles sortent sur la galerie, le vieux Godeau, le marchand cajun qu'était affligé d'un pied bot, avait donné à Tite une sucette à la menthe d'un sou. Il donnait toujours un sou de bonbons ou de gomme à mâcher à Tite quand elle venait au magasin parce qu'il savait qu'elle avait le cœur malade. Après lui avoir tendu la sucette, il a regardé Tante Margaret. Elle secouait tristement la tête.

— P'têt' s'il donnait un peu plus à sa femme, un peu moins à sa négresse, l'autre y viendrait pas comme ça, le vieux Godeau a dit.

— Je sais pas de quoi vous parlez, Tante Margaret a répondu, en faisant sortir Tite sur la galerie.

Une fois leurs boissons fraîches terminées, elles ont rapporté les bouteilles vides à l'intérieur et elles ont souhaité le bonjour au vieux Godeau. Mais comme elles ressortaient sur la galerie, Tante Margaret a arrêté Tite pour lui demander si elle avait remercié le vieux Godeau pour la sucette à la menthe.

— Non, Tite a dit.

— Retourne lui dire « Ma-ci bou-cou, mon-chou Godeau », et reviens ici.

Tite est retournée dans le magasin. « Si je dis pas quoi faire à la petite, elle saura jamais, Tante Margaret a pensé. Dieu sait que ces deux-là lui apprennent jamais rien. » Tite est revenue.

— Tu lui as dit ? Tante Margaret a demandé.

— Ou-i.

Elles sont reparties à la maison et se sont assises sur la galerie. Ce soir-là, pendant que Bonbon, Louise et Tite mangeaient leur souper, Bonbon a dit à sa femme qu'il devait aller quelque part. Louise a levé les yeux mais elle a rien dit. Que pouvait-elle dire ? Bonbon était allé quelque part après souper deux ou trois fois la semaine les dix dernières années. Après son départ, Tante Margaret et Tite sont allées s'asseoir sur la galerie. Elles y étaient pas depuis cinq minutes qu'elles ont entendu le chien gronder à gauche de la maison. Tante Margaret a jeté un coup d'œil à la route, mais personne passait. Le chien a encore grogné. « Ça doit être dans la cour », Tante Margaret a pensé. Elle s'est levée, elle est allée au bout de la galerie, en tenant toujours Tite par la main. Elle s'attendait à voir un autre chien ou un chat derrière la barrière – mais devinez qui elle a vu ?

Marcus, debout devant la barrière, levait les yeux vers la fenêtre de la chambre de Louise. Tante Margaret a poussé une exclamation, elle a manqué tomber à la renverse, mais elle s'est arrangée pour écarter Tite avant qu'elle puisse le voir. Elle l'a ramenée vers le fauteuil et elles se sont rassises.

Louise est sortie par la porte de derrière éloigner le chien. Il grondait, grondait, et Louise tirait, tirait. Tante Margaret les voyait pas, mais elle comprenait aux grondements du chien qu'il tâchait d'attraper Marcus, et que Louise s'efforçait de l'éloigner de la barrière. C'est elle qui l'a emporté. Un instant après Tante Margaret a entendu la barrière plier et l'a vue trembler : Marcus l'escaladait pour pénétrer dans la cour. Puis Louise est rentrée dans la maison, et le même tapage que la semaine d'avant a recommencé. On aurait dit qu'ils reprenaient la même chaise pour l'envoyer valser contre le mur, Tante Margaret racontait. Ensuite on aurait dit qu'ils sortaient un tiroir de la commode et le flanquaient par terre, puis qu'ils sautaient tous les deux sur le lit en même temps, et à pieds joints, puis qu'ils sautaient par

terre. Puis l'un ou l'autre, ou alors tous les deux, repre-
nait la même chaise et l'envoyait encore contre le mur.

« À dire qu'elle essaie de rattraper tout l'amusement
qu'elle a jamais eu », a pensé Tante Margaret.

– Maman tue un rat? Tite a demandé.

– Oui.

– Je veux le voir, le rat.

– Il pourrait te mordre, mon petit sucre. C'est un
gros vieux rat.

Puis les boum et les vlan, les sauts et les chutes ont
cessé. C'était silencieux là tantôt. Mais pas si silencieux
que ça – à présent les ressorts du lit ont commencé leur
chanson.

Une demi-heure plus tard, Louise est sortie de la
chambre et retournée dans la cour. Marcus avait pas plus
tôt touché le sol, Tante Margaret disait, que le chien s'est
remis à grogner. Et heureusement que Marcus était
encore en état d'escalader les barrières, vu que le chien
a échappé à Louise à la dernière seconde.

Louise est rentrée, puis elle est venue rejoindre Tante
Margaret et Tite sur la galerie.

– Tu peux t'en aller, Margaret, elle a dit.

– Oui, m'dame, Tante Margaret a répondu les yeux
levés vers elle, mais sans bouger.

Les cheveux jaunes de Louise frisottaient sur sa tête.
Son corsage était boutonné à moitié et sa jupe de travers. Elle était si près d'elle, disait Tante Margaret,
qu'elle sentait son odeur de sueur, « les effluves de leurs
étreintes ».

– Et quand est-ce que je dois revenir? elle a demandé.

– Viens, Judy, Louise a dit.

– Dans combien de temps vous allez crier au viol,
Miss Louise?

– Viens, Judy.

Tite a échappé à l'étreinte de Tante Margaret.

– Bon-soi, Mar-grite.

– Donne un baiser à Tante Margaret, mon bébé.

Tite l'a embrassée. Tante Margaret l'a retenue un instant contre sa poitrine. En même temps elle levait les yeux vers Louise.

– Pensez à votre enfant, elle a dit. Si y a des embêtements, c'est elle qui pâtira.

– Viens, Judy, Louise a répété.

14

Tante Margaret est venue en bas des quartiers ce soir-là pour me parler. Assis sur la galerie, je grattais ma guitare. Marcus était rentré dans sa chambre une minute ou deux seulement avant l'arrivée de Tante Margaret. Après son départ, je suis resté à fixer l'obscurité. Tout était sombre autour de moi – sombre et tranquille. Les grillons chantaient dans l'herbe mais ils rendaient la nuit encore plus tranquille. J'entendais mon cœur battre à grands coups dans ma poitrine. J'ai serré le poing très fort et j'ai entendu craquer les jointures. Les yeux sur la porte de la chambre de Marcus, j'ai tapé mon poing dans la paume de l'autre main. Il a claqué comme un coup de feu. Je suis resté seul sur la galerie longtemps après minuit. Les quartiers étaient encore plus tranquilles, vu que tantôt j'étais le seul à veiller.

Le vendredi après-midi, alors que je m'apprêtais à retourner aux champs, j'ai vu Tante Margaret descendre les quartiers. Elle portait une robe blanche et un grand chapeau de paille jaune. La poussière de la route était presque aussi blanche que sa robe. Avant qu'elle arrive à ma hauteur, j'ai su qu'elle allait me parler de Marcus et de Louise. J'allais démarrer le tracteur à la manivelle, mais j'ai pensé qu'il valait mieux attendre. Elle est arrivée tout en sueur et essoufflée. Elle avait pas marché plus de deux ou trois minutes, mais la chaleur du soleil lui avait coupé la respiration. Elle m'a dit qu'elle devait retourner chez Bonbon. Louise l'avait fait prévenir par un petit garçon à qui elle avait donné une pièce.

– Vous savez ce qui va se passer quand il le surprendra là-haut, et vous avec ? je lui ai demandé.

– Oui, je sais, elle a répondu.

– Alors pourquoi vous y allez, Tante Margaret ?

– Et la petite ?

– Laissez-la se débrouiller toute seule.

Tante Margaret m'a regardé un long temps (seules les vieilles gens peuvent vous regarder de la sorte quand elles désapprouvent vos paroles), puis elle a secoué la tête.

– C'est pas toi qui parles, James.

– Si, c'est moi.

– Non, c'est pas toi.

Elle m'a encore regardé longtemps : seules les vieilles gens peuvent vous regarder de la sorte.

– Je vois, j'ai dit. Vous voulez que je l'arrête. Mais comment ? En le tuant ? En le tuant et en allant en prison à sa place, c'est ça ?

– Je t'ai demandé de tuer personne, James, elle a dit en me regardant par-dessous le bord de son grand chapeau.

– Vous voulez que je l'arrête, pourtant. Vous voulez que je l'arrête avant que Bonbon le surprenne. Comment j'peux faire sans le tuer ? Avec des prières ?

– T'as pas besoin de blasphémer le Seigneur non plus, James, elle a fait en me regardant par-dessous le bord de son chapeau.

– Bon, j'ai dit, je vais plus Le blasphémer. J'vais même plus penser à Lui – et à Marcus non plus.

J'ai mis le tracteur en route. Au bout d'un moment j'ai vu John et Freddie descendre les quartiers. Marcus s'est laissé glisser en bas de la galerie, et il est sorti sur la route. Il avait une chemise rose et un pantalon bleu. Depuis qu'on se parlait plus, il mettait plus mes habits de travail. Il portait une casquette beige en tissu léger. Des verres teintés étaient fixés à la visière, et Marcus les avait baissés sur ses yeux.

Il est monté dans la remorque et s'est appuyé contre la ridelle les bras croisés. Il avait l'air de partir en pique-nique, pas d'aller travailler aux champs. John et Freddie ont grimpé dans l'autre remorque. Ils ont examiné Marcus et se sont dit quelques mots, mais pas assez fort pour qu'on les entende. Je crois pas que Marcus avait échangé une demi-douzaine de paroles avec eux depuis qu'il travaillait là.

– Bon, j'y vais, j'ai dit à Tante Margaret. (Le tracteur faisait un tel boucan qu'elle m'entendait à peine.) Je vous conseille de rester chez vous.

– C'est pas toi qui parles, James, elle m'a répondu en me regardant par-dessous le bord de son grand chapeau.

– Faites comme vous voulez.

J'ai fait faire demi-tour au tracteur et on est partis dans les champs.

Ce soir-là, cinq minutes après le départ de Bonbon, le chien s'est mis à grogner. Tante Margaret était encore assise sur la galerie, Tite sur les genoux. Elle s'est pas donné la peine de regarder : elle savait ce qu'elle allait trouver, toute façon. Le chien a grondé pendant une minute, deux, trois peut-être ; Louise sortait toujours pas pour l'écarter de la barrière.

« Et pourquoi donc ? Tante Margaret s'est demandé. Elle est déjà lasse, ou c'est-y que Bonbon revient ? »

Le chien grondait.

« Attends, Tante Margaret a pensé. Je sais ce qu'elle fait maintenant. Elle l'observe de la fenêtre. En ce moment elle doit se moquer de lui. Elle le veut, oui, elle le veut, mais elle va le faire poireauter un moment. Elle va lui montrer qu'il peut pas obtenir ce qu'ils veulent tous les deux avant qu'elle soit prête à lui accorder. »

Le chien grondait de plus belle.

– Un opossum ? Tite a demandé.

– Un rat, Tante Margaret a répondu en serrant Tite plus fort.

Quand Louise a eu son content de se moquer de Marcus (du moins la façon que Tante Margaret se figurait), elle est sortie dans la cour éloigner le chien de la barrière. Tante Margaret a entendu la barrière plier pendant que Marcus l'escaladait. Sitôt qu'il a touché le sol, le chien a échappé à Louise et s'est remis à grogner. Tante Margaret a entendu un bruit retentissant quand Marcus a sauté dans la chambre par la fenêtre. Apparemment les crocs du chien l'avaient raté de justesse.

Louise est rentrée, et le vacarme a repris de plus belle.

Seulement cette fois c'était bien pire que le mercredi ou le samedi précédents. On aurait dit que toute la maison s'écroulait, d'après Tante Margaret. On aurait cru qu'ils renversaient la commode et l'armoire en même temps. Que Louise rampait sous le lit et que Marcus l'y poursuivait ; puis, à moitié engagé sous le lit, il décidait de se lever, le lit sur le dos, et de le flanquer contre le mur.

« Je me demande si cet insensé est en train de battre cette femme pour avoir laissé le chien lui mordre les talons », Tante Margaret a pensé.

– Maman a tué le rat ? Tite a demandé.

– Pas encore, Tante Margaret a répondu en la serrant contre elle.

Puis Louise est sortie en trombe de la chambre, et elle a couru derrière la maison. Marcus la suivait de près, mais Tante Margaret l'a entendu freiner des quatre fers.

Parce que, Tante Margaret expliquait, il voulait peut-être très fort ce que Louise emportait avec elle, mais pas assez pour courir dans la cour où y avait personne pour tenir le chien. Tite voulait rentrer dans la maison voir le gros rat, mais Tante Margaret la retenait ferme.

– Il pourrait te mordre, elle a dit. Et ça ferait de la peine à Margaret.

Louise est restée un moment dans la petite cour, puis Tante Margaret a entendu claquer le portail. « Elle est dans la grande cour là tantôt, Tante Margaret a pensé. Lui il est toujours dans la maison, le chien entre eux. Si Bonbon arrivait, tout ce qu'il aurait à faire c'est de mettre le feu à la maison et d'attendre dehors avec son pistolet, en cas que celui-là voudrait sauter par la fenêtre. »

Elle a entendu le chien aboyer. Pas hargneusement, joyeusement. Les jappements venaient de la droite, alors Louise devait être par là. Marcus est resté un moment sur la galerie de derrière, puis il est rentré dans la chambre. Tante Margaret l'avait pas entendu bouger, mais elle a compris qu'il était rentré d'après ce qui s'est passé ensuite. Elle l'a pas entendu sauter par la fenêtre non plus ; mais elle a entendu le chien aboyer après lui méchamment, et foncer vers le côté gauche de la cour. Puis elle a entendu la barrière plier quand Marcus a sauté dessus et l'a franchie du même geste. Une fois de plus, il avait battu le chien d'une fraction de seconde.

Donc, Louise et lui étaient dans la grande cour présentement. Pendant une minute Tante Margaret a plus rien vu ni entendu. Puis elle a aperçu une forme qui ressemblait à un petit fantôme, qui courait à travers la cour ; un instant plus tard une forme plus grande la poursuivait ; Louise a fait le tour d'un chêne et Tante Margaret l'a perdue de vue. Mais elle voyait Marcus. Il se tenait d'un côté de l'arbre, Louise de l'autre. Le chien était passé devant la maison aussi, mais il était dans le petit enclos et pouvait pas s'approcher d'eux. Alors Marcus et Louise jouaient comme des écureuils autour de l'arbre : Marcus apparaissait d'un côté, Louise de l'autre ; puis de nouveau Marcus, puis encore Louise. Tite les avait pas vus parce que Tante Margaret lui pressait la tête contre sa poitrine. La petite avait essayé plus d'une fois de descendre de ses genoux pour voir ce qui faisait aboyer le chien, mais Tante Margaret la tenait serrée. Bientôt Tite a commencé à se trémousser, et Tante Margaret l'a emmenée dans la cuisine pour lui donner un morceau de gâteau.

La fenêtre était ouverte, alors elle voyait toujours Marcus et Louise dans la cour. Pendant que Tite assise à la table mangeait du gâteau en buvant du lait caillé, Tante Margaret surveillait Louise et le forçat de la fenêtre. Ils jouaient dehors comme deux enfants qu'ont rien au monde à cacher. Marcus a fait le tour du chêne en courant, Tante Margaret racontait, et Louise a filé vers le pacanier à quelques mètres de là. Marcus l'a rejointe, et Louise a couru vers le chêne. Marcus l'a rejointe, et elle a traversé la cour comme une flèche. Il l'a rattrapée et l'a fait tomber, mais elle s'est débattue en donnant des coups de pied jusqu'à tant qu'elle se libère et se remette à courir. Il s'est relevé d'un bond, l'a rattrapée, et lui a fait un autre croche-pied. De nouveau elle s'est libérée. Durant tout ce temps le chien aboyait, il courait d'un bout à l'autre de l'enclos en aboyant. Marcus s'est relevé, il a encore rattrapé Louise et l'a encore fait tomber. Cette fois, il l'a maintenue au sol. Tante Margaret les regardait lutter et se rouler par terre. Puis ils ont arrêté. Ils sont restés tranquillement couchés côte à côte, enlacés, à s'embrasser…

Tante Margaret avait mis Tite au lit et s'était assise sur la galerie quand Louise est allée dans l'enclos pour conduire le chien sur le devant. Marcus est entré dans la maison par-derrière et il est allé tout droit dans la chambre. Louise a lâché le chien, elle est rentrée, et Tante Margaret les a entendus parler tranquillement tout en remettant les choses en ordre. Une demi-heure plus tard, Louise est allée tenir le chien, et Marcus est sorti par-derrière. Sans courir, sans escalader la barrière, il est sorti par-derrière comme s'il quittait sa propre maison. Après son départ, Louise a retraversé la maison pour venir sur la galerie où Tante Margaret se trouvait.

Elle est allée prendre son chapeau à l'intérieur. Elle l'avait suspendu dans la cuisine contre le mur. Le temps qu'elle le mette et retourne dans le salon, Louise l'y attendait.

– Tu crois qu'une Blanche peut aimer un nègre, Margaret? Louise a demandé. Je veux dire un Noir.

Tante Margaret racontait qu'elle avait enfoncé son chapeau plus solidement sur sa tête, et qu'elle était sortie. Elle s'est pas donné la peine de répondre à Louise.

Le lendemain (samedi), quand on est arrivés avec les deux chargements de maïs, Bonbon nous attendait près du silo.

– Vous avez fini, han? il m'a dit.

– Ouais.

Il a regardé Marcus, qui était debout à côté de la remorque. Il avait sa casquette beige avec les verres teintés baissés sur les yeux. Vêtu d'une chemise bleue et d'un vieux pantalon marron à rayures, il était chaussé de souliers pointus noir et blanc. Bonbon examinait Marcus comme s'il essayait de le comprendre. Il détestait pas Marcus, il avait rien personnellement contre lui, simplement il se demandait ce qui le poussait à agir comme il agissait.

– Le patron a trouvé que t'as fait du bon boulot pour moi la semaine dernière, Bonbon lui a dit. Maintenant il veut que t'en fasses autant pour lui. Le râteau et le balai sont dans la remise à outils.

Marcus a jeté un coup d'œil sur la grande cour, puis il a regardé Bonbon. Le travail lui faisait pas peur. Ou si c'était le cas, il allait pas le montrer à Bonbon.

– À moins que tu veuilles le faire, Jime ? Bonbon m'a dit.

J'ai secoué la tête.

– T'es sûr ? il a fait en me fixant, les yeux plissés.

– Oui, j'suis sûr. Je rentre.

– À tantôt, Jime.

– À tantôt.

Je me suis éloigné et lui aussi. Marcus est resté.

15

Après un temps Marcus est allé au magasin. Y avait beaucoup de monde, des Noirs et des Cajuns. Les Cajuns buvaient au petit bar derrière ; les Noirs achetaient des provisions au comptoir et allaient boire dans la petite salle latérale. Tous ont regardé Marcus quand il est entré. Des Cajuns se sont même retournés pour le regarder. Marcus s'est acheté à manger et il est ressorti. Son déjeuner, c'était un pain, une demi-livre de saucisson, et deux grandes bouteilles de boisson fraîche. Il s'est installé sous le pacanier pour manger. Les Noirs qui passaient près de l'arbre le saluaient d'un signe de tête, mais ils ouvraient à peine la bouche, et pas un s'arrêtait pour lui parler. Les Cajuns qui entraient dans le magasin ou sortaient se contentaient de lui jeter un coup d'œil.

Son déjeuner fini, Marcus est retourné dans la grande cour. Il était à peu près une heure. Il a regardé l'étendue de la cour avant d'aller chercher le râteau et le balai dans la remise. C'était une blague, il disait, de penser qu'il pourrait ratisser cette cour en une journée, et même qu'il puisse enlever toutes ces feuilles en une semaine. Non, c'était pas les feuilles qu'ils avaient en tête : Bonbon et sa clique voulaient qu'il tente de s'échapper. Comme il faisait trop chaud pour chasser l'opossum et le lapin pour l'heure, ils voulaient chasser le nègre. Mais il allait pas s'échapper. Pas tout de suite en tout cas. Il cueillerait le maïs, il ratisserait les feuilles, il ferait tout ce qu'ils voudraient. Et puis quand ils l'auraient oublié il tenterait le coup.

Marcus a pris un râteau et un balai dans la remise et il s'est mis à la besogne. Toute la cour était couverte de feuilles. Y en avait autant près de la remise que partout ailleurs, alors il a commencé à ratisser sitôt sorti de la cabane.

Il travaillait déjà depuis tantôt une heure quand Marshall Hebert est sorti sur sa galerie de derrière. Il a regardé Marcus. Il portait son costume de crépon, son panama, et il avait un verre à la main. Il a observé Marcus dix ou quinze minutes avant de descendre dans la cour. D'abord il est pas allé tout droit vers Marcus, il est resté à distance à le regarder. Marcus savait qu'il était là sans se retourner. Il l'avait vu sur la galerie de derrière et descendre les marches.

« Si t'es un de ces gros corniauds, viens pas m'emmerder, il a pensé. Je ramasse le maïs, je ratisse les feuilles, mais j'cause pas aux corniauds. Je me fous pas mal qui c'est. »

Il a continué son travail. Il s'était mis à transpirer. Les feuilles étaient plus dures à ratisser que dans la cour de Bonbon. Y avait trop d'herbe ici, surtout du chiendent. Temps en temps les dents du râteau se prenaient dedans et Marcus devait se pencher pour les dégager.

Marshall approchait. Il était plus qu'à un mètre de Marcus là tantôt. Pourtant il avait encore rien dit. Et Marcus l'avait pas regardé depuis qu'il était descendu dans la cour.

– Je vois que monsieur Sidney t'a donné du travail, Marshall a dit.

– Oui, monsieur, Marcus a répondu sans se retourner.

Marshall a poussé un grognement. Marcus ratissait les feuilles sans le regarder. Le silence a duré un moment.

– Comment t'appelles-tu ? Marshall a demandé.

– Marcus.

Marcus avait répondu sans le regarder.

– Marcus comment ?

– Payne.

Le silence est revenu. Marshall buvait peut-être, mais Marcus en était pas sûr. Il continuait à travailler.

– Quand comptes-tu te sauver, Marcus ? Marshall a demandé.

Là Marcus s'est retourné, et vite. Marshall portait le verre à sa bouche. Quand il a baissé la main, ses yeux bleus au regard froid étaient fixés sur Marcus.

« T'es pas si corniaud que ça, alors, Marcus a pensé. T'es au courant toi aussi. »

– Me sauver ? il a dit. Où ça ?

Marshall lui a pas répondu ; il jugeait pas nécessaire de répondre à Marcus.

– J'vais nulle part, Marcus a ajouté.

– La semaine prochaine, peut-être ? Le mois prochain ?

– Non, jamais.

– Ah non ? Marshall a dit, en regardant les verres teintés de Marcus.

Marcus a levé la main et remonté ses verres sur la visière de sa casquette.

– Le jour où tu voudras partir, préviens-moi, Marshall a dit. Je peux te procurer une voiture. Et peut-être de l'argent aussi.

– Je suis bien où je suis.

– Vraiment ? Marshall a dit.

Il a toisé Marcus de sa chemise bleue à ses souliers pointus, en passant par son pantalon rayé. Il savait qu'un bougre vêtu de la sorte ne songe pas à rester trop longtemps au même endroit, surtout sur une plantation. Il a relevé les yeux vers la figure de Marcus et il a grogné.

– Tu vas te sauver, mon garçon, et tu le sais. Mais tu sortiras pas vivant de cette paroisse.

Il a encore regardé Marcus en portant le verre à ses lèvres. Il l'a pas quitté des yeux pendant qu'il buvait, ni après avoir baissé le verre.

– Dix ans pour avoir tué un nègre, et t'as même pas pu te taper cette fille !

– Cinq ans, Marcus a dit. Si je suis coupable.

– Mais tu es coupable. Et c'est dix ans. Le tarif pour tuer les nègres vient d'augmenter.

Il a détourné les yeux. Sa veste était déboutonnée et Marcus voyait sa panse déborder par-dessus sa ceinture. Il a pensé : « Un bon coup de râteau dans le ventre et y aurait des tripes plein la cour. »

Marshall l'a encore regardé. Il savait ce que Marcus avait en tête.

– C'est pas moi, il a dit, ses yeux bleus au regard froid fixés sur Marcus. L'homme en train de te tuer est dans le champ là-bas.

Un éclair a fulguré dans le corps et la tête de Marcus, il a cru qu'il allait tomber. Il s'est pris à trembler si fort qu'il a dû serrer le râteau pour se raffermir.

– Personne me tue nulle part, il a répliqué aussi calmement qu'il pouvait.

– Non ? Marshall a fait.

– Non, il a dit aussi calmement qu'il pouvait.

– Laisse-lui le temps, il va le faire, Marshall a dit.

– Vous allez y veiller, j'suppose.

– J'ai rien à voir avec ça.

Marcus aurait voulu lever le râteau et l'abattre sur la tête de Marshall. Mais s'il le faisait, il savait qu'il allait sûrement mourir. S'il tenait le coup, il pouvait s'en tirer.

– J'trouverai l'occasion, il a dit.

– Oui. Je suis sûr que t'y penses. Mais tu peux pas te sauver sans aide, et je suis le seul à pouvoir t'aider.

– Si je tue pour vous.

– Tuer pour moi ? Qui a parlé de tuer pour moi ? Tu ferais mieux de surveiller tes paroles, mon garçon. C'est dangereux de parler comme ça. J'ai dit que je t'aiderais si tu décides de t'enfuir. J'ai pas parlé de tuer pour moi. C'est toi qui pourrais te faire tuer si tu parles comme ça. Fais attention.

Ils sont restés face à face un moment, puis Marshall a regardé par-dessus son épaule en direction du silo. Marcus a suivi son regard. Les deux remorques de maïs attendaient devant la porte. Marshall s'est retourné vers Marcus.

– Les enfants sont souvent malades ces temps-ci. Je me demande si c'est pas une épidémie d'oreillons.

Marcus a rien dit. Il sentait un gros nœud se former dans sa gorge. Mais il regardait Marshall droit dans les yeux pour pas qu'il sache ce qu'il ressentait.

– Tu pourras décharger ce maïs demain, Marshall a dit en s'éloignant.

Marcus l'a regardé porter le verre à ses lèvres en traversant la cour. Ses yeux le piquaient : il pleurait.

16

Marcus est rentré vers sept heures ce soir-là. (J'étais pas là, j'étais allé à Bayonne avec Snuke et le reste de la compagnie pour revoir la fille de l'autre jour. C'est Tante Margaret qui m'a dit à quelle heure il était rentré.) Le lendemain, il s'est levé à six heures pour aller décharger le maïs dans la grande cour, et il est pas rentré avant le tantôt trois heures. Il s'est reposé sur la galerie une heure ou deux, puis il s'est relevé et il a fait une toilette de chat à la pompe. J'étais rentré, je repassais un pantalon kaki dans la cuisine. J'ai cru qu'il allait s'habiller pour se rendre quelque part, mais après sa toilette, il est allé dans sa chambre se coucher. Le lendemain matin il est venu aux champs. Il m'avait toujours rien dit. On avait pas échangé une parole depuis plus d'une semaine. Quand on est rentrés manger, il a sauté de la remorque en arrivant devant la maison et il a pénétré dans la cour. C'était la première fois qu'il était pas monté en haut des quartiers depuis que Louise et lui avaient commencé à se faire les yeux doux. En passant devant la maison de Bonbon, je l'ai vue assise sur la galerie ; elle guettait le tracteur. Quand j'ai redescendu les quartiers avec les deux remorques vides, elle l'attendait encore. L'après-midi il est retourné aux champs, et quand il a pris trop de retard, il a dû traîner le sac. Le soir en rentrant il a sauté de la remorque devant la maison. Louise le guettait quand je suis arrivé en haut des quartiers. Ce coup-ci elle était debout. En revenant je l'ai vue traverser le jardin avec sa petite fille. Elle m'a regardé comme si elle voulait me poser une question, mais on s'est même pas salués.

Ce soir-là elle a envoyé dire à Tante Margaret de pas venir travailler le matin, mais le tantôt. Le lendemain matin Tante Margaret est allée à la pêche, et l'après-midi vers quatre heures, quatre heures et demie, elle est montée en haut des quartiers. Ce soir-là quand Bonbon est parti, elle était assise sur la galerie de devant avec Tite. Elle pensait que le chien allait aboyer une minute ou deux après le départ de son maître, mais dix minutes après elle avait encore rien entendu. Une demi-heure, rien ; une heure, toujours rien.

Tante Margaret entendait Louise marcher dans la chambre. Elle allait de la porte à la fenêtre, de la fenêtre à la porte. Puis le silence revenait, comme si elle était debout à la fenêtre, et elle se remettait à marcher. Elle est venue dans le salon, où elle est restée une minute, et après elle est passée dans la cuisine. Au bout d'un moment, elle est sortie sur la galerie de derrière. Ensuite Tante Margaret l'a vue traverser la cour. Elle paraissait toute petite et perdue sous les grands arbres chargés de mousse, Tante Margaret racontait. « Mais oui, elle a pensé. Voilà ce que c'est. Voilà où en sont les choses à présent. » Louise était arrivée au portail. « Mais comment ? pensait Tante Margaret. Comment le Maître peut laisser une pareille honte arriver ? Eh, Seigneur ! » Louise serrait un piquet du portail en regardant sur la route. Puis Tante Margaret l'a vue remonter vers la maison. Juste avant l'heure du retour de Bonbon, Louise a dit à Tante Margaret qu'elle pouvait partir. Mais le lendemain elle lui a fait dire de revenir le soir. Tante Margaret est revenue. Après s'être assise sur la galerie, elle s'attendait à entendre le chien aboyer. Mais il a été plus tranquille ce soir-là que jamais. Quand Tite s'est endormie dans ses bras, Tante Margaret l'a mise au lit. Elle est retournée sur la galerie, et Louise s'est montrée à la porte.

— Margaret ? elle a dit.

Tante Margaret l'a regardée par-dessus son épaule. La lumière derrière Louise projetait son ombre sur la galerie.

– Dis-lui de venir, Louise a dit. Dis-lui qu'il ferait mieux.

Elle est repartie dans sa chambre. Tante Margaret l'a entendue claquer la porte. Elle est encore restée assise un moment, puis elle est retournée dans les quartiers. Au lieu de s'arrêter chez elle, elle est venue jusque chez moi. J'étais assis à la table de la cuisine. Je lui ai offert une tasse de café, mais elle en a pas voulu. Après m'avoir raconté comment Louise se conduisait, elle m'a répété ses paroles.

– Tu veux pas lui dire pour moi ? elle a demandé.

– Il est dehors sur la galerie, Tante Margaret. Vous lui avez pas dit en entrant ?

– Je peux pas lui parler, à ce garçon.

– Moi non plus je lui parle pas.

– Alors tu vas pas le faire ?

– Pourquoi faut qu'il sache, d'abord ? Vous pouvez pas faire croire à Louise que vous avez oublié ? Au moins il irait pas.

– Et si elle criait au viol ?

– D'après ce que vous dites, elle va pas crier au viol.

– Comment le sais-tu ?

J'ai pas répondu à Tante Margaret. On aurait pu continuer toute la nuit.

– Bon, elle a dit en se levant. Je vais le faire. Je vais le faire. Rappelle-t'en quand tu viendras chez moi pour manger.

Elle s'est écartée de la table, croyant que j'allais l'arrêter. Elle a traversé la pièce de devant, puis elle est revenue.

– Tu refuses toujours ? elle a demandé.

Je lui ai pas répondu. Je regardais par la fenêtre. La nuit était noire dehors.

– Oui ou non ?

– J'ai déjà dit non, Tante Margaret.

– Regarde-moi pour dire non.

Je me suis tourné vers elle.

– Vas-y, dis-le.

Tante Margaret paraissait si pitoyable que j'ai compris que je pouvais pas lui refuser. « Et voilà, James Kelly, je me suis dit. Tu laisses encore ton bon cœur t'attirer des ennuis. »

– Je vais le faire, Tante Margaret, j'ai dit.

J'ai vu un grand soulagement sur sa figure. Elle aurait fait tout au monde pour pas adresser la parole à Marcus. Elle m'a souhaité bonne nuit, et elle est partie.

17

Je suis resté assis la figure entre les mains. Je me demandais comment m'y prendre pour aller trouver Marcus. Je voulais aller le trouver ; ça faisait deux jours que je voulais y aller : je pensais qu'il avait besoin de quelqu'un à qui parler. Mais je savais qu'avant qu'on ait échangé une douzaine de paroles, il dirait quelque chose pour me mettre en colère.

Au bout de dix minutes à peu près, j'ai entendu quelqu'un entrer dans la pièce. J'ai cru que c'était Jobbo ou Snuke Johnson. Des fois Jobbo venait avec son harmonica, ou Snuke arrivait dans son auto et on allait faire un tour ensemble. J'ai pas levé les yeux avant que les pas s'arrêtent à la porte de la cuisine. Alors j'ai vu que c'était Marcus. Il portait encore la chemise rose et le pantalon marron qu'il avait aux champs ce jour-là. Il tenait sa casquette à la main. La rosée et l'herbe avaient ôté tout le brillant de ses souliers pointus.

– J'peux te parler ? il a dit.

– J'allais sortir, j'ai dit.

– Je vous ai entendus parler.

– Alors tu sais ?

– Oui.

J'ai désigné la chaise de l'autre côté de la table. Je savais pas de quoi Marcus voulait parler, mais j'étais sûr qu'il allait me mettre en rogne. Il s'est assis. Il était revenu des champs depuis deux ou trois heures, mais il s'était pas encore lavé les mains et la figure. Je voyais la crasse sur son visage et des ronds de saleté sur son cou. Sa chemise rose avait des taches brunes sous les bras et à l'épaule à cause du sac qu'il avait traîné.

Il s'est assis en triturant sa casquette. C'était la première fois qu'on s'asseyait ensemble depuis plus d'une semaine. Il savait pas comment entamer la conversation. Il s'est léché les lèvres et il a commencé à dire quelque chose, puis il s'est remis à triturer sa casquette.

– J'peux avoir une bière, si t'en as une ? il m'a demandé.

J'en avais deux bouteilles à la glacière. Je les ai sorties et je lui en ai donné une. Je me suis rassis avec l'autre.

Il a bu et reposé la bouteille sur la table. Il regardait toujours la bouteille, pas moi. Il a commencé à parler, puis il a encore porté la bouteille à sa bouche.

– On a parlé, il a fini par dire.

J'ai rien répondu. Il a levé la tête et m'a regardé.

– On croit qu'on commence à s'aimer un peu.

J'ai toujours pas répondu. J'attendais. Lui et moi on savait qu'il allait me mettre en rogne.

– Beaucoup p'têt'.

– Tu veux dire Louise et toi, Marcus ?

Il a hoché la tête.

– Ouais.

– Ben, pourquoi tu me racontes ça ?

– T'es mon seul ami, Jim.

J'ai secoué la tête.

– J'suis pas ton ami, Marcus. On t'a collé sur mes bras. C'est la vieille dame de Baton Rouge qui t'a collé sur mes bras. Mais j'suis pas ton ami.

Il entendait pas un mot. Même en parlant je voyais qu'il m'écoutait pas. Il a porté la bouteille à sa bouche et il l'a reposée.

– Elle voudrait partir d'ici, il a dit. Elle voudrait que je l'emmène.

– Fais-le alors. Y a un car qui passe deux fois par jour.

– T'es encore colère après moi, han?

– J'suis pas colère du tout, Marcus. Tu dis qu'elle voudrait que tu l'emmènes. J'te dis qu'y a un car qui passe deux fois par jour.

Il m'a fixé un moment, puis il a commencé à essuyer du doigt la buée de la bouteille.

– On va avoir besoin d'aide.

– T'as demandé à Bonbon?

– Non, mais Marshall a dit qu'il nous aiderait.

Il avait levé la tête et me regardait bien en face, parce qu'il savait l'effet que ça me ferait. Je voulais pas le montrer, mais tout d'un coup je me suis senti devenir tout chaud. J'ai soudain repensé au samedi deux semaines avant. J'ai revu la façon que Marshall m'avait regardé quand j'avais dit à Bonbon que je portais un Coca à Marcus. À croire que lui aussi pensait à Marcus au même moment.

– Qu'est-ce que tu dis, Marcus?

– Il va m'aider.

On s'est regardés par-dessus la table. Là tantôt le silence était tel que j'entendais mon cœur battre.

– Si je tue Bonbon pour lui, Marcus a ajouté en me regardant bien en face.

– Tu te fiches de moi, Marcus?

– Il m'en a parlé samedi pendant que je ratissais la cour.

J'ai rien dit – je le croyais pas. Je refusais de croire que Marcus me disait une chose pareille.

– Il m'a demandé quand je comptais me sauver. Je lui ai dit que j'en avais pas l'intention. Il a dit qu'autrement Bonbon allait me tuer aux champs. Si j'avais sa peau le premier, y aurait p'têt' une auto et de l'argent.

– Tu mens, Marcus.

– Pourquoi tu crois qu'il a payé ma caution ? Tu crois qu'il se soucie de ma nan-nan ?

– Oui, parce qu'elle me l'a dit. Elle me l'a dit le soir que je t'ai amené à Baton Rouge. Elle me l'a répété le dimanche qu'elle est venue ici. Oui, je crois que c'est pour ça qu'il t'a fait sortir, Marcus.

– Eh ben tu te trompes, et elle aussi. Il m'a fait sortir pour que je tue Bonbon. Il a quelque chose contre lui, ou c'est Bonbon qui le tient, et il veut se débarrasser de lui.

Marcus s'est tu, il m'a regardé. Y avait de la tristesse dans ses yeux. Je savais pas qu'il pouvait avoir l'air aussi triste. Quand on joue les durs tout le temps, c'est ce qui finit par arriver, faut croire.

– J'suis pas un chien, Jim. J'ai tué ce nègre parce que sans ça il m'aurait tué. Mais j'suis pas un chien de chasse qui tue les gens pour les autres.

Au début j'avais pas cru Marcus, mais présentement je le croyais : pendant qu'il parlait, j'avais pensé à Marshall et à Bonbon. D'après ce que Miss Julie Rand m'avait dit, je savais qu'entre eux y avait une sale histoire. Et si Marshall voulait se débarrasser de Bonbon, le meilleur moyen, c'était de se servir de Marcus, non ? Il avait déjà la réputation d'être bagarreur, et tous ceux qui travaillaient avec Bonbon et lui savaient qu'ils étaient pas copains-copains. Alors pourquoi pas utiliser Marcus pour se débarrasser de Bonbon ? Et qui croirait Marcus s'il disait que Marshall l'avait poussé ?

J'ai regardé Marcus par-dessus la table. Je le plaignais, mais je voulais pas le montrer. S'il disait la vérité, je pouvais rien pour lui. Marshall était trop puissant. Si Bonbon avait voulu faire du mal à Marcus, on aurait peut-être pu l'empêcher. C'était qu'un Blanc pauvre, Bonbon, et des fois on pouvait aller trouver le Blanc riche quand on avait besoin d'aide. Mais qui on allait trouver pour se protéger du Blanc riche ? On pouvait pas faire appel à la loi, vu que la loi, c'était lui. Il était la police, le juge et les jurés.

– J'te crois pas, j'ai dit, parce que c'était la chose la plus facile à dire.

Quand on y peut rien, c'est toujours la chose la plus facile à dire.

– Non, j'peux pas y croire, j'ai répété.

– Tu me crois si tu veux.

– Et c'est ça que tu penses faire, Marcus ?

– J'ai pensé à des tas de choses. Maintenant je sais qu'y faut qu'je parte d'ici, et en vitesse.

– Prends pas ce risque, Marcus.

– J'peux pas rester dix ans ici, Jim.

– Cinq ans, si t'es coupable.

– D'après lui, j'suis déjà coupable, et ce sera dix ans. Ils ont changé les lois quand j'ai tué ce nègre.

– Il te fait marcher, Marcus. C'est pour voir ce que tu vas faire. Si tu tombes pas dans son piège, il te fichera la paix, il tentera le coup avec quelqu'un d'autre.

– C'est pas seulement à cause de lui. Faut que je parte pour moi surtout. Autrement, Jim, j'vais m'attirer encore plus d'ennuis. J'le sais.

– Si tu fais ça, tu vas vraiment avoir des ennuis.

– Y en a qui s'en sortent. On entend toujours parler de types qu'ont réussi à s'échapper.

– La plupart se font prendre, Marcus. Et tu parles d'emmener Louise. Jamais tu y arriveras.

– Faudra que j'essaie tôt ou tard, Jim. Faut que je parte d'ici.

– Ça va pas marcher, Marcus. T'aurais besoin d'une auto, d'argent, de provisions. Ça va pas marcher. Tu finiras à Angola, c'est tout.

– Je peux pas rester dix ans ici. (Il s'énervait, et sa voix devenait aiguë.) J'peux même pas rester dix semaines.

– Tu peux si tu veux, Marcus. Si tu te donnes vraiment la peine. Et je serai là – j'sais pas pour combien de temps mais je serai là. J'ferai tout mon possible pour…

– J'peux pas rester ici. (Il criait présentement.) Tu vois pas que j'peux pas ? Tu vois pas que j'suis pas comme ça ? Tu vois pas…

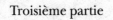

Troisième partie

1

Cinq minutes après le départ de Bonbon le vendredi soir, le chien s'est mis à gronder. Louise est sortie dans la cour pour le mener de l'autre côté de la maison pendant que Marcus entrait par la porte de derrière. Puis elle est montée sur la galerie de devant, elle est passée à côté de Tite et Tante Margaret, et elle l'a rejoint dans la chambre.

Y a pas eu de bruit ce soir-là. Pas de commode derrière la porte, pas d'armoire renversée, pas de chaises contre le mur ; pas de poursuite, ni de sauts, ni de gifles. La chambre était aussi silencieuse que la galerie, que la cour, que la plantation tout entière.

Quand Tite s'est endormie dans les bras de Tante Margaret, elle l'a portée à l'intérieur pour la mettre au lit. Puis elle est retournée s'asseoir dans le fauteuil à bascule sur la galerie. Louise est sortie de la chambre pour aller dans la cuisine. Tante Margaret l'a entendue poser des casseroles sur le fourneau, elle a senti l'odeur du manger quand Louise a rempli une assiette et l'a portée dans la chambre. Elle a pas fermé la porte ni rien poussé derrière. Tante Margaret les entendait causer à l'intérieur.

C'était le vendredi soir. Le dimanche matin Bonbon est parti bonne heure pour aller chasser avec ses frères. Louise avait appris la veille qu'il irait à la chasse, alors elle avait fait dire à Tante Margaret de venir dimanche après l'église. Sitôt la fin du service, Tante Margaret est rentrée chez elle se changer, et elle a remonté les quartiers. Quand elle est entrée dans la cour elle a trouvé Tite assise sous un arbre, occupée à faire des gâteaux de boue. Elle touillait la boue dans un bol et disposait les gâteaux sur une plaque en fer-blanc au soleil. Tante Margaret a parlé avec elle un petit moment, puis elle est allée s'asseoir sur la galerie. Elle croyait que le chien allait aboyer quelques minutes après son arrivée, mais au bout d'une demi-heure, il avait toujours pas aboyé. Puis, comme elle entrait dans la maison pour aller prendre un verre d'eau, elle a jeté un coup d'œil à la porte de la chambre. Elle était entrouverte, juste assez pour que Tante Margaret voie deux formes allongées sur le lit.

— Dieu tout-puissant ! elle s'est écriée en courant vers la porte.

Mais juste avant de la fermer elle l'a ouverte un peu plus pour parler à Marcus et Louise. Ils étaient couchés tout nus sur le dos, Louise dans les bras de Marcus.

— Vous êtes devenus complètement fous ? Tante Margaret a demandé. Vous savez pas que la petite est dehors ? Vous avez donc aucune pudeur ?

Ils ont pas répondu, ni l'un ni l'autre. Louise l'a regardée et a posé la tête sur la poitrine de Marcus. Il a passé la main sur ses cheveux jaunes.

C'était le dimanche. Le mercredi soir Tante Margaret a dû y retourner. Quand elle est arrivée, Louise lui a dit de faire une tarte aux mûres. Le chien a aboyé, Marcus s'est glissé dans la maison, et Tante Margaret est allée dans la cuisine avec Tite. Elle a fait une petite tarte en plus pour l'enfant et elle. Après lui avoir donné à manger et l'avoir couchée, elle est allée s'asseoir sur la galerie. Louise est sortie lui demander de mettre deux couverts. Tante Margaret a fait ce qu'on lui disait, elle venait de finir de mettre la table quand Louise et Marcus sont entrés. Il portait une chemise de soie marron, un pantalon marron foncé, et des souliers marron et blanc. Louise était en robe rose avec un col blanc et de la dentelle sur les manches. Tante Margaret, debout près du fourneau, les regardait. Son cœur s'était mis à battre, elle racontait. Pas parce qu'elle avait peur, elle avait surmonté la peur ; elle aurait pas eu peur même si Bonbon était entré et les avait trouvés. Elle aurait fait front, elle lui aurait dit : « Allez-y, tuez-moi, allez-y. Je sais que j'ai mal agi, mais ce que j'ai fait, c'était pour votre enfant. Si vous voulez me tuer pour avoir protégé votre enfant, allez-y, tuez-moi. » Alors son cœur battait pas de peur ; il battait de colère. Parce qu'elle savait qu'elle devait faire tout ce qu'ils voulaient. Comme elle les avait pas dénoncés la première fois, ils savaient qu'elle était aussi coupable qu'eux ; maintenant elle devait rester dans le même bateau, quels que soient ses sentiments.

Ils se sont mis à table et ils ont commencé à manger. On aurait dit que Marcus avait pas vu de nourriture depuis une semaine, la façon qu'il engloutissait. Louise picorait seulement. Le plus souvent elle lançait des regards d'adoration à Marcus de l'autre côté de la table.

Son repas avalé, Marcus s'est essuyé la bouche avec le dos, puis la paume de la main. Ensuite il a demandé du dessert à Louise.

– Margaret, Louise a dit.

Tante Margaret a pas bougé. Elle regardait même pas Louise, elle regardait Marcus. Elle l'avait pas quitté des yeux plus d'une seconde depuis qu'il était entré dans la cuisine. Y avait une bassine d'eau savonneuse à l'arrière du fourneau pour laver la vaisselle. Elle avait songé à la prendre et à verser l'eau sur Marcus.

– Margaret ? Louise a répété. Puis de nouveau elle a regardé Marcus. Tu veux du café avec, mon chéri ?

Il a hoché la tête.

– Margaret.

Tante Margaret a servi la tarte, puis le café. Marcus se suçait une dent creuse pendant qu'elle posait le café devant lui, elle disait. Elle a failli lui flanquer un coup de poing, mais elle savait que ce serait inutile. Elle l'a regardé un moment, mais il a pas levé la tête. Elle est retournée à son fourneau pour les observer.

– T'y vas quand? Louise a demandé à Marcus.

– Demain soir s'il est là.

– Jim y va avec toi?

– J'crois pas.

– T'y vas tout seul?

– Ben oui, il a dit en soufflant sur son café et en buvant une gorgée.

– C'est risqué tout seul, chéri.

– Faut bien. C'est la seule façon.

– J'ai peur. Si quelque chose t'arrivait, Marky-Lou.

– Y va rien m'arriver. Si t'es sûre de tout c'que tu m'as dit. Il a commis tous ces vols parce que Marshall peut rien contre lui?

Louise a hoché la tête.

– Et il est le seul?

– Oui, je suis sûre.

– Ses frères savent rien?

– Non.

– Ni personne d'autre?

– Non, je suis sûre qu'il est le seul.

– Oui, c'est probable, a dit Marcus en hochant la tête. Marshall pourrait pas prendre ce risque si y avait quelqu'un d'autre.

– Tu crois que ça va marcher?

– J'peux aller le trouver et lui présenter not' proposition. S'il refuse, on trouvera un autre moyen.

– Mais on va partir, hein, Marky?

– Oui, on va partir.

Louise a souri. Elle adorait Marcus.

– Chéri, tu es l'homme le plus courageux du monde, elle a dit.

– T'es bien gentille toi aussi.

Elle a encore souri, en découvrant ses dents et ses gencives. Tante Margaret l'avait jamais vue aussi heureuse.

– Tu aimes la tarte ? Louise a demandé.

– Oui, elle est bonne, il a répondu.

– Tu entends, Margaret ? Peut-être qu'on te fera venir quand on sera dans le Nord.

– Vous irez nulle part, Tante Margaret a dit. Vous allez mourir ici. Celui-là surtout.

– Personne va mourir, Louise a dit.

– Si, tous les deux. Lui surtout. Ici même.

– On va partir, hein, chéri ?

– Oui, on va partir.

– Pour partir, vous allez partir. Vous allez partir tous les deux. Sitôt qu'ils vont savoir, vous pouvez être sûrs de partir.

– Tais-toi, Margaret, Louise a dit.

– Vous allez me faire taire, Miss Louise ?

– Oui, je vais te faire taire. Tais-toi.

– Laisse-la parler, ma douce, Marcus a dit. Laisse-la déballer ce qu'elle a sur le cœur. On va pas se tracasser pour ce qu'elle pense. Tu te tracasses pour ce qu'elle pense ?

– Non, Louise a dit.

– Vous vous prenez pour des enfants, Tante Margaret a dit. Vous vous croyez en train de faire des gâteaux de boue dans la cour. Et vous vous prenez pas pour un enfant blanc et un enfant noir, parce qu'un enfant blanc et un enfant noir assez grands pour faire des gâteaux de boue savent déjà qu'ils pourront jamais vivre ensemble.

Non, vous vous conduisez comme deux petits Blancs ou deux petits Noirs qui jouent dans la cour. Rien vous empêche d'aller dans le Nord, le Nord est au coin de la maison. Eh ben non, le Nord est pas au coin de la maison, et vous êtes pas des enfants. Vous êtes des adultes, un Noir et une Blanche. Et y a pas de Nord pour vous. Tout ce qu'il y a, c'est la mort. Pour lui, une branche d'arbre; et pour vous…

– Viens m'embrasser, ma douce, Marcus a dit.

Louise s'est levée pour aller vers lui.

2

Le lendemain dans la soirée, Bishop était dans la cuisine, il écossait des haricots secs. Il jetait les cosses jaunes et les haricots blancs dans la même casserole. Une fois qu'il aurait fini il rassemblerait les cosses pour les jeter dans la poubelle derrière le fourneau; puis il verserait les haricots dans son sac blanc et les pèserait sur la petite balance de cuisine. Il avait déjà à peu près quatre livres de haricots dans le sac, qu'il avait tirés du jardin cet été-là, et il comptait qu'avec ce qu'il ajouterait ce soir, il en aurait presque cinq livres.

Bishop a entendu Marshall dans le couloir; il venait vers la cuisine. Il est passé devant Bishop en buvant du bourbon à l'eau, sans rien dire, et Bishop lui a rien dit non plus. Il était dans cette maison depuis plus de vingt ans, et il savait qu'il valait mieux tenir sa langue quand Marshall était de mauvaise humeur. Marshall est allé à la porte et il a regardé à travers le grillage antimoustique. Il était si grand et si large qu'il cachait presque la porte à Bishop. Ses cheveux argentés étaient trop longs, son gros cou rouge débordait par-dessus son col de chemise. Bishop l'a regardé en pensant: «Le pauvre homme, le pauvre homme ! » Marshall a porté le verre à sa bouche ; puis il a poussé la porte et il est sorti. « Je me demande ce que ce Cajun a volé pour l'heure », Bishop a pensé. Il a entendu Marshall descendre les marches de derrière ; au bout d'une minute ou deux, il est revenu. Il est passé devant Bishop sans même lui jeter un coup d'œil. « Sûr qu'il a volé quelque chose, Bishop a pensé. J'ai pas remarqué qu'un cochon manquait, pourtant. C'était p'têt' encore du maïs, ou alors un des bouvillons… »

Bishop racontait que Marshall avait pas quitté la cuisine depuis dix minutes quand il a entendu le portail claquer. D'abord, il avait cru que c'était encore Marshall, mais après il s'est demandé pourquoi Marshall sortirait dans la cour, reviendrait à l'intérieur, puis ressortirait par le devant pour revenir par le portail de derrière. Il s'était dit, il racontait : « Non, ça peut pas être monsieur Marshall, c'est sûrement ce Cajun de malheur. » Eh ben, si c'était lui, il allait continuer à écosser ses haricots et le laisser frapper tout son soûl avant de se lever pour voir ce qu'il voulait. « Du reste y ferait mieux de pas entrer si je l'invite pas à le faire », Bishop se disait. Il a entendu des pas monter les marches de derrière, puis un coup frappé à la porte. Il a pas bougé. Un nouveau coup, un peu plus fort cette fois. Il a toujours pas bougé. Il a même pris un autre haricot et il l'a écossé. Puis l'idée lui est venue que peut-être c'était pas Bonbon, mais quelqu'un des quartiers. Peut-être que quelqu'un était tombé malade et on envoyait appeler le docteur de la grande maison. Ou bien quelqu'un était mort, et on venait téléphoner à la famille. « Mais qui pourrait être mort ? » il s'est demandé. Il était allé à l'église le dimanche, et personne avait dit que quelqu'un était très malade. Il a posé la casserole sur la table et il a marché vers la porte.

– Oui ? il a dit en la poussant.

Il avait reculé en voyant qui était là car c'était la dernière personne qu'il aurait souhaité voir. Marcus avait la même chemise de soie marron, le même pantalon marron foncé et les mêmes souliers marron et blanc que la veille au soir chez Bonbon.

– J'veux parler à Marshall, il a dit.

Il a pas dit « monsieur », Bishop racontait. Il a pas dit « Pourrais-je », ni « Est-ce qu'il est là ? ». « J'veux parler à Marshall », il a dit.

– Retourne-t'en dans les quartiers, mon garçon, Bishop a répondu. S'il te plaît, retourne-t'en.

– Marshall est dans cette maison, nègre ? Marcus a demandé.

– Oui, monsieur Marshall est là. Il est dans sa bibliothèque, il se repose. Mais s'il te plaît, mon garçon, retourne-t'en dans les quartiers.

– Dis-lui que je suis là. Il comprendra.

– Sûrement pas, Bishop a dit en essayant de refermer la porte.

Mais Marcus s'était attendu à pareille réception, et il a mis son pied dans l'ouverture.

– Pousse-toi, mon garçon. Pousse-toi, s'il te plaît.

– Dis-lui que je suis là.

– Sûrement pas.

Marcus le regardait pas d'un air colère. Il était pas colère. Il trouvait pas Bishop assez important pour être colère après lui.

Bishop essayait de fermer la porte. Il l'ouvrait et la tirait, l'ouvrait et la tirait, mais le pied de Marcus était toujours en travers. Marcus se servait pas de ses mains pour bloquer la porte, il essayait même pas d'entrer de force dans la cuisine ; son pied faisait tout le travail.

– Et si j'appelais la police ? Bishop a dit.

– Vas-y, Marcus a répondu.

– Je pourrais bien le faire.

Mais il est pas allé au téléphone. Il disait que sa figure, sa tête, tout son corps étaient en feu. Marcus le regardait comme s'il était capable de le frapper. Pas par colère ; par pure méchanceté.

– S'il te plaît, ôte ton pied et retourne-t'en dans les quartiers avant de causer des ennuis, mon garçon.

Marcus a rien répondu. Il se contentait de le regarder à croire qu'il allait le frapper d'un moment à l'autre.

Bishop a tenté de déloger le pied de Marcus avec son propre pied. Il a d'abord poussé légèrement, puis plus fort, puis encore plus fort. Durant tout ce temps Marcus le regardait comme s'il allait le frapper d'un moment à l'autre. Bishop s'est penché, il a voulu pousser le pied avec ses mains. Pendant qu'il était penché, il sentait sa figure, sa tête et son dos en feu. Il a poussé, poussé, il racontait, mais sans succès. Alors qu'il allait se redresser, Marcus a retiré son pied.

– Je te remercie, Bishop a dit. Je te remercie beaucoup.

Mais Marcus le regardait pas, il regardait derrière lui. Bishop s'est retourné, et il a vu Marshall.

– Je lui ai dit que vous étiez occupé, monsieur. Si vous me laissez, je crois pouvoir régler ça maintenant.

– C'est pas toi le nègre que j'ai fait sortir de prison ? Marshall a dit en approchant de la porte.

Il avait même pas jeté un coup d'œil à Bishop.

– Si, monsieur, Marcus a répondu.

– Tu prends des risques.

– J'lui ai dit d'aller vous chercher ; il voulait pas.

– On doit pas me déranger le soir.

– J'pensais seulement qu'on pouvait parler rapport à ces champs, monsieur. Comme on disait samedi dernier.

Bishop disait que le silence est revenu un moment. Le gros homme blanc cachait complètement le jeune nègre à sa vue. Sa figure et sa tête le brûlaient.

– On a parlé samedi dernier ? Marshall a dit.

– Oui, monsieur.

– De quoi ?

– De Sidney Bonbon.

– Tu veux dire monsieur Sidney Bonbon ?

– Oui, monsieur. Monsieur Sidney Bonbon.

– Eh bien, vas-y, parle.

– On peut parler en particulier ?

– Entre, Marshall a dit.

Et il s'est détourné en laissant la porte se fermer, mais Marcus l'a arrêtée avant qu'elle lui claque à la figure. Marshall avait presque quitté la cuisine avant que Bishop se rende compte de ce qui se passait.

– Monsieur Marshall, il a fait.

Marshall continuait à marcher.

– Monsieur Marshall, il a répété très vite.

Marshall marchait toujours, Marcus à un pas derrière lui.

– Monsieur Marshall, Bishop disait en tendant la main. Monsieur Marshall, monsieur Marshall…

Ils se sont pas retournés, ni l'un ni l'autre.

3

J'étais allongé sur mon lit le samedi soir quand j'ai entendu quelqu'un monter sur la galerie. Je pensais à Marcus. Tante Margaret m'avait déjà raconté la conversation entre Louise et lui le mercredi soir. Il avait quitté la maison le lendemain soir pour aller en haut des quartiers, et je me demandais s'il était allé voir Marshall Hebert. Tante Margaret m'avait rien dit de neuf là-dessus, et j'en avais pas parlé à Marcus non plus. Mais je pouvais pas croire qu'il irait trouver Marshall pour lui dire que Louise et lui voulaient quitter la plantation ensemble. Je savais que Marcus était intrépide – ou fou – mais je le croyais pas assez intrépide – ou fou – pour prendre un risque pareil. C'est à ça que je pensais quand j'ai entendu quelqu'un monter sur la galerie. Quand j'ai tourné la tête, j'ai vu Tante Margaret entrer dans ma chambre. Elle avait pas frappé. Elle était venue si souvent ces derniers jours qu'elle voyait plus la nécessité de frapper. À un pas ou deux derrière elle venait Bishop. Je l'ai pas reconnu d'abord. Jamais je l'avais vu s'aventurer si loin dans les quartiers. Je l'avais vu aller à l'église, mais je me rappelais pas l'avoir vu dépasser l'église depuis que j'étais sur la plantation. C'était un homme petit, à la tête chauve et luisante. Son nez était chaussé de lunettes à monture d'acier et aux verres épais. Il portait toujours un costume en crépon bleu ou un costume blanc uni. Ce jour-là c'était le costume blanc. Il avait ôté son chapeau de paille blanche et fermé son ombrelle, et tantôt il les tenait dans la même main. Dans l'autre main il avait un mouchoir plié, qu'il a passé sur sa tête chauve en franchissant la porte. En le voyant entrer avec Tante Margaret je me suis levé.

– Tu connais frère Bishop, James, Tante Margaret a dit.

Je lui ai fait un signe de tête. J'ai pas dit son nom, parce que ça me paraissait malpoli de l'appeler Bishop tout de go. En même temps j'avais jamais entendu personne l'appeler monsieur, alors ça m'aurait fait drôle de le faire.

– J'peux vous débarrasser ? j'ai demandé.

J'ai pris son chapeau et son ombrelle, et je les ai posés sur le lit. J'ai proposé à Tante Margaret de lui prendre son chapeau, mais elle me l'a pas donné. Sans me répondre, elle a commencé à s'éventer avec.

– Vous allez bien vous asseoir ?

Tante Margaret s'est dirigée vers la cuisine, Bishop sur ses talons. Il s'essuyait la figure et le cou avec son mouchoir, qui était mouillé et sale, plutôt gris que blanc. Je les ai suivis dans la cuisine et je leur ai offert un verre de limonade. J'avais envie de bière, pas de limonade, mais j'ai changé d'avis et j'ai pris de la limonade aussi. Ça me semblait pas convenable de boire une bière devant ces gens-là.

– Frère Bishop m'a dit que ce garçon est venu à la grande maison, Tante Margaret a déclaré.

J'avais trouvé que Tante Margaret semblait colère quand elle était entrée, et maintenant j'en étais sûr. Elle était assise d'un côté de la table, Bishop de l'autre. J'ai pris une chaise près de la porte. Celle de derrière et la fenêtre étaient grandes ouvertes pour que l'air circule dans la maison.

– Oui, Bishop a dit en s'essuyant la figure et le cou. Il est venu jeudi soir.

Alors il m'a tout raconté. Il m'a raconté qu'il écossait des haricots et que Marshall avait traversé la cuisine en buvant ; qu'il était sorti dans la cour puis rentré ; que lui, Bishop, avait entendu le portail claquer et pensé d'abord que c'était Marshall, puis que c'était peut-être Bonbon. Tout le temps qu'il parlait, il s'épongeait la figure et le cou avec son mouchoir.

– Il a coincé son pied dans la porte, Bishop m'a dit en me regardant de ses yeux agrandis par ses épaisses lunettes. La maison que ses arrière-grands-parents ont construite. La maison construite par l'esclavage. Il a coincé son pied dans cette porte.

Tante Margaret, assise de l'autre côté de la table, s'éventait avec son grand chapeau de paille jaune. Elle regardait la fenêtre, pas moi ni Bishop. Mais lui me regardait toujours. Il voulait que je comprenne ce que ça signifiait, que Marcus ait coincé son pied dans la porte d'une maison construite par l'esclavage.

– Et ensuite ? j'ai demandé.

– Monsieur Marshall l'a invité dans sa bibliothèque.

– Quoi ?

Bishop a hoché la tête en s'essuyant la figure et le cou.

– Alors ?

– Je sais pas. J'étais trop interloqué. Quelques minutes plus tard, le garçon a quitté la maison. Je sais rien de plus.

– Vous les avez pas entendus ?

– Non, monsieur, ils étaient dans la bibliothèque. Mais je suis sûr que c'était rapport à ce Cajun. J'en mettrais ma main au feu.

J'ai regardé Tante Margaret. Elle s'éventait avec le chapeau en regardant par la fenêtre. On aurait dit qu'elle avait perdu tout espoir.

– Vous m'avez dit qu'ils avaient une proposition ? je lui ai demandé.

– C'est ce qu'ils disaient, elle a répondu sans me regarder.

Elle avait pas l'air de vouloir parler, alors je me suis retourné vers Bishop.

– J'ai peur, monsieur Kelly, il m'a dit.

– Marcus est pas si fou, quand même.

– Non ? Il a mis son pied dans la porte. De la maison construite par l'esclavage.

Bishop voulait que je comprenne qu'un Noir qui met son pied dans la porte d'une maison construite par l'esclavage est capable de n'importe quoi, ou presque.

4

Bishop a bu sa limonade en fixant le soleil sur le plancher. Quand on était rentrés le soleil avait à peine atteint la marche du haut ; présentement il avait traversé la marche pour entrer dans la cuisine. Bishop fixait le soleil à dire qu'il pensait le voir bouger s'il le fixait assez longtemps. Quand un essaim de mouches s'est posé sur le plancher devant lui, il les a examinées. Quand elles se sont envolées, il a levé la tête. Tante Margaret gardait le silence – elle se contentait d'agiter son grand chapeau de paille devant sa figure.

– J'avais prévu tout ça quand ce garçon est arrivé ici. Je l'ai vu à ses habits, ses chemises roses, ses souliers bicolores. Je l'ai vu à la façon qu'il roulait sur le tracteur, la façon qu'il marchait en se pavanant dans la cour. La façon qu'il regardait le Cajun de biais. Et monsieur Marshall l'a vu aussi, et c'est là qu'il a commencé à l'avoir à l'œil. Chaque fois que ce garçon venait dans la cour, il se postait quelque part pour l'observer. Il est même allé à cheval dans les quartiers pour le chercher. Il était pas prêt à lui parler, pas encore, il faisait que le regarder. Et puis samedi dernier il s'est décidé. Il est resté un long moment sur la galerie de derrière avant d'aller le trouver dehors. Je les regardais de la salle à manger. J'arrêtais pas de dire : « Non, Seigneur, s'il vous plaît empêchez-le, empêchez-le s'il vous plaît. » J'ai vu le garçon sursauter quand il lui a expliqué ce qu'il voulait de lui. J'avais un verre à la main. Il est tombé et il s'est brisé.

Bishop avait étendu le mouchoir humide sur son genou pour le faire sécher, mais là il l'a pris pour s'éponger la figure et le cou. Il m'a regardé longuement, tristement. À travers ses verres épais, ses yeux paraissaient encore plus gros et encore plus tristes.

– Il a pas fait sortir Marcus de prison pour tuer Bonbon, tout de même ?

Bishop a froncé les sourcils en gémissant. Il s'est mis à secouer la tête comme s'il allait jamais s'arrêter. Rien de ce que j'aurais pu dire n'aurait pu le faire souffrir davantage.

– Il l'a fait sortir pour elle, il a répondu. Il l'a fait sortir parce qu'elle est venue pleurer dans son gilet. Il connaissait ce garçon ni d'Ève ni d'Adam. Non, c'est ses habits, la façon qu'il marchait dans la cour, la façon qu'il regardait le Cajun : c'est tout ça qui lui a donné l'idée. Non, il l'a pas fait sortir pour qu'il tue Bonbon. Dieu m'est témoin, je voudrais jamais avoir entendu parler de ce garçon, ni de Miss Julie Rand.

Bishop s'est remis à fixer le plancher. Tante Margaret a continué à s'éventer. Tout est resté silencieux pendant que j'attendais que Bishop poursuive.

– Comment Bonbon a barre sur Marshall au juste ? j'ai demandé.

Bishop a levé la tête lentement, il m'a regardé. Il aimait pas la manière que j'avais dit « Marshall » ; j'aurais dû dire « monsieur Marshall ». Puis il a commencé à me regarder comme Miss Julie Rand l'avait fait quand je lui avais posé la même question. Il voulait pas me dévoiler la sale histoire entre Marshall et Bonbon. Si elle avait concerné Bonbon seulement, ça aurait tout changé. Bonbon était un pauvre Cajun, il aurait parlé de lui toute la journée. Mais c'était un peu différent quand il s'agissait de monsieur Marshall. En même temps, il savait qu'il devait me mettre au courant, parce qu'il avait besoin de moi. Il a jeté un coup d'œil à Tante Margaret pour savoir ce qu'elle en pensait. D'après elle, est-ce qu'il pouvait dévoiler le secret de Marshall et de Bonbon ? Tante Margaret s'éventait sans nous regarder, ni Bishop ni moi. Elle avait perdu tout espoir. Le monde était fou. Si elle pouvait sauver Tite de toute cette folie, elle serait contente. En ce qui concernait Marcus et Louise, et Bonbon et Marshall là tantôt, elle avait cessé d'espérer. Alors Bishop n'a trouvé aucune aide auprès d'elle. S'il voulait me mettre au courant, c'était à lui d'en décider.

– Monsieur Marshall avait un frère qui s'appelait Bradford, Bishop a commencé. C'était un joueur, un grand joueur, mais il perdait bien plus qu'il ne gagnait. Un soir il a perdu beaucoup, plus qu'il serait jamais capable de payer. Il a signé une lettre à l'homme qui avait gagné, puis il est rentré, il a fait ses bagages et il est parti. Personne sait où il est allé, s'il est vivant ou s'il est mort. Environ une semaine après son départ, l'autre homme s'est présenté avec la lettre en réclamant son argent. J'ai entendu monsieur Marshall et lui se disputer au sujet de l'argent dans la bibliothèque. Il est parti sans un sou, et quelques semaines plus tard il s'est fait tuer dans un saloon – par un autre joueur. L'endroit était plein de monde, et dans la bousculade qui a suivi, le deuxième homme s'est fait tuer aussi. Bonbon était là ce soir-là. On pense qu'il a supprimé le deuxième homme après l'avoir chargé de tuer le premier…

Bishop a laissé échapper son souffle comme s'il l'avait retenu longtemps. J'ai attendu qu'il continue.

– Depuis, il fait tout ce qu'il veut, Bishop a repris. Et monsieur Marshall essaie de le faire partir. Il lui a offert de l'argent, mais il refuse de le prendre. Il a offert de l'argent à d'autres personnes pour qu'elles fassent partir Bonbon d'ici. Elles en veulent pas non plus. Bonbon a trop de frères : on peut pas dépenser son argent dans la tombe.

– Alors il oblige Bonbon à faire trimer Marcus comme un esclave pour que Marcus soit assez furieux pour le tuer ? j'ai dit. Il voit que Marcus déteste déjà cet endroit, et il pense qu'en le poussant à bout, tôt ou tard il tuera Bonbon ?

Bishop a baissé la tête. C'était la vérité. Mais Bishop aurait jamais pu reconnaître une chose pareille au sujet de Marshall Hebert. Il préférait que ce soit la faute de

Marcus : ses habits, sa façon de se pavaner, les regards en biais qu'il lançait à Bonbon.

5

On a discuté durant une heure ou deux. Bishop voulait savoir ce qu'on pouvait faire pour empêcher ce malheur d'arriver. C'est la raison qu'il était venu me voir dans les quartiers. Il se sentait si démuni là-haut dans la grande maison, sachant ce qui se passait sans rien pouvoir y faire. Je lui ai dit que moi non plus je savais pas quoi faire. Qu'est-ce que je pouvais faire ? Qu'est-ce qu'on pouvait faire, les uns et les autres ? Tout dépendait de Marcus. Marshall le poussait seulement parce qu'il avait quelqu'un à pousser. Mais je croyais pas qu'il irait très loin. Et cette idée que Marshall obligerait Bonbon à tuer Marcus si lui le tuait pas, c'était juste pour faire peur à Marcus. Jamais Marshall laisserait Bonbon tuer pour lui une autre fois. Il payait encore pour le premier meurtre que Bonbon avait commis pour lui.

Tout le temps que Bishop et moi on parlait, Tante Margaret, assise de l'autre côté de la table, s'éventait avec son chapeau. Plus on parlait, plus sa colère montait. Tout d'un coup elle s'est levée d'un bond et elle a mis son chapeau.

– Vous venez, frère Bishop ? elle a dit.

– Oui, sœur Margaret.

J'ai écarté ma chaise pour les laisser passer. Bishop a pris son chapeau et son ombrelle sur le lit, et on est sortis sur la galerie. Marcus entrait dans la cour. Il portait sa chemise bleue et son pantalon noir ; il avait la casquette avec les verres teintés. Bishop et moi on l'a regardé, mais pas Tante Margaret. Elle avait abandonné tout espoir en ce qui le concernait. Tout ce qu'elle voulait présentement, c'était sauver Tite – avec l'aide de Dieu. Bishop regardait Marcus mais il avait pas l'air de le voir vraiment. Son esprit était ailleurs, sans doute à la grande maison avec Marshall Hebert. Marcus a monté les marches, il nous a fait un signe de tête et il est allé dans sa chambre.

Bishop s'est retourné vers moi. Il avait coiffé son chapeau, et il tenait l'ombrelle et le mouchoir dans la même main. Il m'a tendu l'autre. Elle m'a paru petite et douce quand je l'ai serrée.

– Je vous ai pas pris trop de temps, j'espère ? il m'a dit, accablé de tristesse.

– Non, monsieur, j'ai répondu en secouant la tête.

– Vous allez parler à ce garçon ?

– Je lui ai déjà parlé. Mais je vais le refaire.

– Si vous pouvez pas arrêter cette vilaine histoire, monsieur Kelly, je crains ce qui va nous arriver à tous, Bishop a déclaré. Si ce garçon touche à Bonbon, ses frères vont partir en patrouille.

Il m'a regardé un long temps pour me faire comprendre le sens de ses paroles. Puis il a ouvert son ombrelle et il a descendu les marches à la suite de Tante Margaret. Il tenait son mouchoir dans l'autre main ; sitôt passé le portail, il a commencé à s'éponger la figure et le cou.

Je suis resté les regarder du bout de la galerie. Bishop paraissait si faible et effrayé, marchant à côté de Tante Margaret. Sans doute qu'elle avait aussi peur que lui, mais elle avait davantage de force pour affronter les épreuves – une force qu'elle tirait de sa foi en Dieu. Bishop allait bien à l'église tous les dimanches mais il cherchait pas sa force auprès de Dieu. Il la cherchait auprès de la grande maison en haut des quartiers. Et présentement la grande maison reposait plus sur des fondations aussi solides.

Je suis resté encore un moment sur la galerie, puis je suis allé dans la chambre de Marcus. Il était couché en caleçon sur le lit. On s'est regardés mais sans rien se dire. Je me suis approché de la fenêtre, où il faisait plus frais, et je me suis retourné pour le regarder encore. Il m'observait toujours, attendant ce que j'avais à dire. Mais je savais pas quoi lui dire.

– Quelque chose te turlupine, Jim?

J'ai continué à le regarder. Il s'est redressé sur le lit.

– Pourquoi t'es allé voir Marshall l'autre soir, Marcus? je lui ai demandé.

– Pour lui dire de me faire acquitter. De me faire acquitter, de me donner cette auto et de l'argent, et moi j'emmènerais Louise d'ici.

J'ai pas cru que Marcus avait parlé de la sorte à Marshall. Vous voyez, je connaissais les Blancs de la région. Je les connaissais pas mal. Je savais que si un Noir avait parlé de la sorte, il serait pas sorti vivant de la pièce.

– Je lui ai dit que Bonbon partirait à nos trousses, et qu'il serait débarrassé de lui.

Je le croyais toujours pas.

– C'est pour ça que j'y suis allé, il a dit.

Je me suis appuyé contre la fenêtre pour regarder Marcus. Je le croyais maintenant. Je le croyais, parce que je me rappelais qu'il avait tué, et que ça comptait pas pour lui. Je le croyais parce que je me rappelais qu'il avait déjoué le chien et sauté par la fenêtre pour prendre la femme de Bonbon. Je le croyais parce que je me rappelais qu'il avait passé le pied dans la porte «construite par l'esclavage». Je croyais ce que Marcus disait. N'empêche que je comprenais pas pourquoi Marshall l'avait pas tué pour avoir parlé de la sorte.

– Il t'a laissé dire tout ça sans broncher?

– Il m'a flanqué dehors, oui. Mais j'ai bien vu que mes paroles lui donnaient à réfléchir.

– Peut-être qu'il songeait les rapporter à Bonbon, t'as pensé à ça ?

– C'est la dernière chose qu'il ferait. C'est de Bonbon qu'il veut se débarrasser, pas de moi. Je suis qu'un nègre, moi. Rien qu'un nègre. L'homme qui compte, c'est Bonbon.

– Et tu crois qu'il va te faire acquitter, pour que tu partes d'ici avec Louise ?

– Oui. Il va peut-être me faire mariner un peu – pour que j'aie la trouille – mais il va me faire acquitter.

– Et comment il sait que Bonbon va te courir après ?

– Parce que sinon, la famille de Bonbon va le tuer. Parce que c'est le Sud ici, et le Sud va pas laisser un nègre se sauver avec une femme blanche, ni laisser le mari blanc fermer les yeux et s'en tirer comme ça. Pas le Sud.

– Tu crois connaître le Sud, han ?

– Je sais au moins ça.

– Et où t'as vu que dans le Sud un Blanc laisse un nègre se sauver avec une Blanche ?

– Il a pas le choix. Peut-être qu'il aime pas ça, mais il a pas le choix. Faut qu'il se débarrasse de Bonbon. Il lui a volé trop de choses, et il sait que Bonbon volera tant qu'il restera. C'est pas qu'il ait pas le droit de voler après ce que Marshall lui a fait faire. Ouais, je sais qu'il a obligé Bonbon à tuer un homme pour lui. Présentement, vu que Bonbon le vole pour se dédommager d'avoir tué, il veut qu'un autre tue Bonbon. Eh ben, ce sera pas moi. Je tuerai pas pour lui. J'lui propose un marché honnête et sans danger ; il me fait libérer, j'emmène Louise d'ici, et Bonbon nous courra après. Si ça lui va, tant mieux ; sinon, qu'il aille au diable. J'trouverai un autre moyen de me sortir de ce trou.

– Marcus, tu veux que j'te donne un conseil ?

– Si tu vas me dire de travailler dix ans ici, c'est pas la peine.

– Oui, c'est ce que je vais dire. Fais ton boulot et oublie toutes ces combines. Elles vont jamais marcher. Tout ce que tu gagneras, c'est de rendre la vie encore plus dure pour toi et pour les autres par ici.

– La vie peut pas devenir plus dure pour moi, Jim. J'suis un esclave ici pour l'heure. Y a rien de plus dur que l'esclavage.

– Le pénitencier, ça peut être plus dur.

– J'irai pas au pénitencier. C'est pour ça qu'on m'a mis ici.

– Et c'est pour ça que tu devrais faire des efforts.

– Tu voudrais que j'sois satisfait de mon sort comme les vieux esclaves ? C'est ça ?

– T'es pas esclave ici, Marcus. Simplement tu paies pour c'que t'as fait.

– J'ai pas à payer pour m'être défendu. Et j'vais pas payer pour avoir tué ce cul-terreux. Il avait qu'à pas se balader avec une jolie femme, s'il savait pas se battre, ce salaud de nègre.

– Tu te crois drôle, mon garçon ?

– Non, j'me crois pas drôle. Tout c'que je dis, c'est que j'vais pas payer pour cette saloperie de nègre. Y peut aller au diable.

– Si le monde entier brûle, tu t'en fous, pas vrai, Marcus ?

– Tant que j'suis pas dans les flammes.

Le voir comme ça, il m'a fait pitié.

– Pourquoi tu m'engueules ? il a dit. T'es mon seul ami, et t'arrêtes pas de m'engueuler.

– J'veux que tu sois un être humain, Marcus.

– J'suis un être humain. J'vois pas les choses comme toi, c'est tout. Toi, tu t'occupes de tout le monde. Moi, j'm'occupe de personne, sauf de moi. J'suis ainsi depuis trop longtemps pour changer.

– C'est pas comme ça qu'il faut être, Marcus.

– J'peux pas être autrement. Et maintenant, s'il te plaît, Jim, laisse-moi tranquille. J'suis fatigué, j'ai besoin de me reposer.

Et il s'est rallongé.

6

Le lundi, aux alentours de cinq heures, Marshall Hebert s'est amené dans le champ pour la première fois. En regardant de l'autre côté du champ, à cinq cents mètres environ, j'ai vu un nuage de poussière descendre la route de derrière, soulevé par la Ford 41 que Marshall utilisait dans les champs. J'ai jeté un coup d'œil à Bonbon par-dessus mon épaule. Il était derrière Marcus, à cheval. Lui aussi a regardé la poussière, puis il m'a regardé. J'étais beaucoup plus haut que lui, alors il voulait que je lui dise qui venait. J'ai pas eu à prononcer le nom de Marshall, j'ai hoché la tête, c'est tout. Bonbon m'aurait pas entendu toute façon, le tracteur faisait trop de bruit. Il a tourné bride et il est reparti vers l'autre bout du champ. On récoltait le maïs près du bayou présentement, et y avait des arbres au bord du bayou. C'était surtout des acacias, des saules et des peupliers. Y avait aussi quelques frênes et quelques cyprès. Le matin l'ombre des arbres était sur l'eau, mais le tantôt elle était sur le terre-plein. Bonbon savait que Marshall allait garer la voiture sous les arbres, pas du côté du champ où y avait pas d'ombre, c'est pour ça qu'il était parti par là. Sitôt qu'il s'est éloigné, j'ai ralenti le tracteur. John et Freddie m'ont crié d'accélérer, mais j'ai pas prêté cas. Arrivé au bout du rang, j'ai accordé à Marcus deux minutes de repos avant de repartir dans le champ.

Marshall avait déjà garé l'auto sous les arbres de l'autre terre-plein. Bonbon était descendu de cheval pour lui parler. J'aimais pas les voir ensemble de la sorte. Je pensais pas que Marshall était venu parler de Marcus à Bonbon – il pouvait pas se le permettre. Mais alors, pourquoi il était là ? Pourquoi il était pas à la grande maison en train de boire comme à son habitude ?

J'ai jeté un coup d'œil en arrière par-dessus mon épaule. Les deux corniauds remplissaient la remorque de maïs à tour de bras. Comme ils savaient que le grand patron était là, ils voulaient l'épater. Marcus était à la traîne trois mètres plus loin. Il était crevé et sa chemise rose trempée de sueur collait à sa poitrine.

– Avance ! Freddie a crié.

J'ai fait demi-tour et j'ai regardé Marshall et Bonbon à l'autre bout. Ils parlaient toujours. Bonbon, les rênes dans une main, était appuyé contre la voiture et causait à Marshall par la fenêtre ouverte.

Teuf-teuf-teuf, faisait le tracteur en avançant vers le terre-plein. Ça me plaisait pas du tout de voir Marshall. J'avais un nœud dans la poitrine, qui s'était formé en voyant l'auto arriver.

« Probable que c'est rien, je me suis dit. Il doit lui demander combien de temps on va mettre à finir le maïs. Il veut qu'on se dépêche pour pouvoir attaquer les foins avant la pluie. Arrête de trembler pour tout ; arrête… »

Quand j'ai atteint le terre-plein, Marshall a rapproché la voiture du tracteur. Je l'ai salué de la tête, mais il m'a pas remarqué ; son regard était fixé vers l'arrière de la remorque. Sa rangée finie, Marcus est venu à côté de la remorque où l'auto était arrêtée, et j'ai vu Marshall commencer à l'observer. Marcus lui a parlé, mais Marshall a pas répondu. Il avait quelque chose dans la bouche, une pastille sans doute, qu'il faisait passer d'une joue à l'autre. Chaque fois que son esprit changeait de cours, la pastille se déplaçait dans sa bouche.

– Combien vous en avez, Jime ? Bonbon m'a demandé.

Il avait ramené le cheval à la hauteur de la voiture. Il était debout devant la portière du côté où Marshall était assis. Il avait tourné le cheval pour qu'il soit pas entre Marshall et le tracteur. De la sorte je voyais tout le monde. Je voyais Bonbon et Marshall ; et si je baissais un peu les yeux, je voyais Marcus contre la remorque. J'ai jeté un coup d'œil au maïs qu'on avait déjà. Il arrivait pas loin du bord.

– C'est presque plein, j'ai dit.

– Quand vous serez à l'autre bout, accrochez l'autre remorque et rentrez, Bonbon a dit.

– Bon, j'ai dit. Freddie, un des deux, allez chercher la bonbonne d'eau.

Freddie a traversé le terre-plein. La bonbonne était sous un arbre près de l'eau. Quand on ramassait le maïs au bord du bayou, on gardait toujours la bonbonne près de l'eau où le sol était plus frais. Freddie avait pas fait dix pas que son bon ami John l'avait rattrapé. Ils ont continué ensemble en pouffant de rire. Bonbon les regardait les yeux plissés, et moi aussi je les regardais. Mais je crois pas que Marshall leur ait jeté un regard. Je crois pas qu'il avait quitté Marcus des yeux depuis qu'il était arrivé à côté de la remorque. Marshall a dit quelque chose à Bonbon, et Bonbon s'est mis à regarder Marcus aussi. Mais il le regardait pas durement comme avant. Il le regardait plus durement. Présentement, quand il le regardait, on aurait dit qu'il s'efforçait de le comprendre. Il aurait voulu savoir pourquoi Marcus portait une chemise rose et un pantalon marron quand tout le monde était en kaki ; pourquoi il avait une casquette et pas un chapeau de paille comme les autres ; pourquoi, à la place de brodequins, il portait des petits souliers noir et blanc. Bonbon connaissait peut-être déjà les raisons de Marcus de s'accoutrer ainsi : c'était sa façon de montrer qu'il haïssait cet endroit. L'ennui, c'est qu'il était le seul à en souffrir. Après avoir examiné Marcus des pieds à la tête, Bonbon a détourné les yeux vers le bout du terre-plein.

Une brise légère agitait les feuilles au-dessus de nos têtes. Elle m'a effleuré par la gauche, où ma chemise était un peu humide, et un verre de bière fraîche m'aurait pas été plus agréable. Quand Bonbon a senti la brise, il a ôté son chapeau de paille et passé le dos de son poignet sur son front. Il a pas remis son chapeau avant un moment, que la brise lui souffle dans les cheveux. Je crois pas que Marshall l'ait sentie dans l'auto. En tout cas, il l'a pas montré. Il avait pas cessé un instant de fixer Marcus.

« Non, c'est pas le maïs et le foin qui l'ont amené ici, j'ai pensé. C'est pas le foin ni le maïs… J'avais de bonnes raisons de sentir ce nœud dans la poitrine. »

La brise est retombée et Bonbon a remis son chapeau ; il a regardé le champ où on avait travaillé. Il tournait un peu le dos à Marshall, alors c'est lui que Marshall s'est mis à regarder. Mais à sa figure, on aurait pas dit qu'il avait quelque chose contre Bonbon. Il montrait pas la moindre haine. Si on avait pas su ce qui se passait, on aurait pu croire qu'il était parfaitement satisfait de son contremaître.

Marshall a déplacé le bonbon dans sa bouche ; de nouveau il regardait Marcus ; et Marcus lui rendait son regard à présent. Il faisait plus que le regarder du reste, il le fixait intensément. « Alors, il disait, tu t'es décidé pour la voiture et pour l'argent ? » Et Marshall lui répondait : « Si je lui racontais que t'es entré par la fenêtre, il te tuerait avant que tu aies le temps de t'écarter de la remorque. » Marcus rétorquait : « Tu vas rien lui dire. Toi et moi, on sait que tu vas rien lui dire, pas vrai ? »

Je sais pas lire dans les pensées, mais si les yeux peuvent parler, c'est bien ça que Marcus et Marshall se disaient.

John et Freddie sont revenus, Freddie m'a tendu la bonbonne, et on est repartis dans le champ. Mais juste avant, il s'est produit ceci : Marcus a marché vers l'auto et s'est planté à portée de bras de la portière. Il a regardé Marshall bien en face. Bonbon s'en est pas aperçu parce qu'il remontait à cheval. John et Freddie ont rien vu non plus parce qu'ils étaient de l'autre côté du tracteur. La seule raison que moi j'ai vu, c'est que j'étais sûr qu'ils allaient se parler après s'être regardés de la sorte. Quand Marcus s'est approché de l'auto, Marshall l'a fixé pareillement. Puis il a penché un peu la tête sur le côté, et il a craché le bonbon par la fenêtre. Il a peut-être touché la jambe du pantalon de Marcus, mais je le jurerais pas.

7

Le lendemain tantôt, Marshall est revenu. On avait fini la parcelle de maïs et on avait traversé le fossé pour passer dans la suivante. On travaillait toujours au bord du bayou tout de même, et on avait toujours l'ombre du terre-plein l'après-midi. Marshall a rangé l'auto sous un saule pour mieux nous surveiller. Les branches du saule étaient si basses que les feuilles touchaient le toit de la voiture. Quand Marshall a démarré, elles ont frotté le toit. On voyait les marques qu'elles avaient laissées dans la poussière qui recouvrait la voiture.

Marshall était encore là le lendemain. Les jours suivants aussi, jusqu'à la fin de la semaine. Il parlait jamais à personne qu'à Bonbon. Et ils parlaient seulement quand on était dans les rangées. Quand on était tous sur le terre-plein, Marshall passait le plus clair de son temps à regarder Marcus.

Tous les soirs quand on rentrait je parlais à Marcus. Je lui disais que Marshall m'inspirait aucune confiance. Mais bien sûr, il fallait une réponse à Marcus.

– Je lui ai demandé beaucoup d'argent, il disait. Cent dollars, plus la voiture. Faut qu'il réfléchisse avant de prendre sa décision. C'est compréhensible.

Ensuite il prenait un bain et il mettait des habits propres pour aller voir Louise. Si Bonbon était chez lui, il s'arrêtait à l'église et regardait par la fenêtre. Le lendemain après-midi Marshall revenait dans le champ et Marcus et lui se dévisageaient encore. Des fois ça durait une minute, des fois quelques secondes. Mais si on était prévenus, on les surprenait chaque fois.

Pourquoi Bonbon se doutait de rien, je l'ignore. Mais si, je sais pourquoi. Bonbon prenait des choses à Marshall depuis si longtemps qu'il avait oublié que c'était mal. Il imaginait pas que Marshall puisse agir contre lui maintenant. Il croyait que Marshall avait accepté ça comme une fatalité de l'existence, puisque lui avait accepté de prendre comme une fatalité de l'existence. Je dis prendre, pas voler, parce que je crois pas qu'il avait encore l'impression de voler. Il prenait seulement des biens que Marshall laisserait en mourant. Y en avait assez pour tout le monde, il voyait pas où était le mal de se servir un peu. Comment Marshall pourrait y trouver à redire ?

Tous les soirs présentement, quand j'arrivais à la grande maison, je voyais Bishop. Il se tenait sur la galerie de derrière ou quelque part dans la cour. Dans son costume blanc ou son costume en crépon, il avait toujours un panier au bras. Il transportait tout dans ce panier, l'épicerie ou le linge qu'il allait chercher sur la corde. On se disait jamais rien, Bishop et moi, quand je venais dans la cour, car il s'approchait jamais assez pour que je lui parle. Il m'observait de loin, c'est tout. On aurait cru qu'il avait envie de savoir ce que j'avais à dire, mais qu'il redoutait d'entendre de mauvaises nouvelles. Il préférait ne pas connaître les nouvelles qu'en entendre de mauvaises. Alors il m'observait de loin. Si je lui faisais signe, je voyais son chapeau de paille blanche s'incliner un peu. Si une minute plus tard je le cherchais, il avait disparu. Et le lendemain il était encore là. En général c'était le crépuscule quand j'arrivais, et Bishop habillé tout en blanc avait l'air d'un fantôme auprès de cette vieille maison.

Tante Margaret me disait qu'à présent, chaque fois que Marcus venait en haut des quartiers, Louise et lui parlaient que d'une chose : s'en aller. Ils fermaient plus la porte, sauf s'ils voulaient faire grincer le sommier, elle racontait. S'ils avaient seulement envie de parler, alors ils la laissaient grande ouverte. Ils se moquaient qu'elle entende ce qu'ils avaient à dire. Des fois, elle entendait Louise pleurer dans la chambre. Avant la venue de Marcus elle l'avait jamais entendue pleurer dans la maison. Si quelque chose la rendait colère, elle serrait les lèvres et s'enfermait dans sa chambre. Elle refusait d'ouvrir la porte, que ce soit à Tite, à Tante Margaret ou à Bonbon. Mais elle agissait plus de la sorte ; maintenant quand elle pouvait pas obtenir ce qu'elle voulait, elle pleurait.

– Chut, chut, on va le faire, Marcus disait.

– Il veut pas fixer la date du procès, Louise disait. Qu'est-ce qui le retient ? Il peut la fixer quand il veut.

– Donne-lui le temps, ma douce, il répondait. Il veut me faire peur. T'as confiance en moi, non ?

– Oui.

– Y a que ça qui compte.

Le silence revenait dans la chambre. Au bout d'un moment l'un ou l'autre se levait pour fermer la porte. Ils la fermaient pour une seule raison là tantôt, faire grincer le sommier, Tante Margaret disait.

Dans la journée, Louise s'asseyait sur la galerie ou se promenait dans la cour. Si Marshall passait devant la maison dans son auto, elle la suivait des yeux jusqu'à tant qu'elle disparaisse. Quand elle pensait qu'il allait revenir, elle se mettait à la barrière pour que Marshall la voie. Elle voulait qu'il sache à quel point elle avait envie de partir. Marshall faisait jamais attention à elle. Il passait devant la maison à dire qu'il était au courant de rien.

Jeudi après-midi, pendant que Louise était sur la galerie, elle a vu Bonbon et Pauline passer dans le camion. Le soir, quand Marcus est venu, Louise était déchaînée. Fallait qu'elle parte. Qu'elle parte sans tarder.

– Demande-lui de fixer la date du procès ; demande-lui de la fixer. Il peut pas nous garder ici. Fais-lui fixer la date.

Tante Margaret les écoutait, assise sur la galerie. Tite était au lit, et la porte de la chambre était grande ouverte. Tante Margaret l'entendait pleurer et Marcus qui tâchait de la calmer. Mais plus il chuchotait, plus elle sanglotait. Tante Margaret a senti des larmes couler aussi, elle a levé la main pour les essuyer.

« Faut pas croire que je pleure pour vous, Tante Margaret pensait. Vous, vous êtes déjà morts. Je pleure pour ceux qui vont souffrir quand vous serez plus là. »

8

Le vendredi soir Marcus est venu avec moi en haut des quartiers. Après avoir ouvert et fermé le portail pour moi, il a traversé la cour en direction de la maison. Bishop descendait les marches de derrière son panier au bras. Quand il a vu Marcus, il est rentré et il a fermé la porte grillagée. Il a pas posé son panier – il a oublié qu'il l'avait ; il racontait que son cœur battait trop fort pour penser à un malheureux panier. « Non, mon garçon, s'il te plaît, viens pas ici, il a pensé. S'il te plaît, s'il te plaît. » Il a entendu le portail claquer, il a entendu Marcus monter les marches, il l'a entendu frapper à la porte. Et tout ce qu'il pouvait faire, c'était penser : « Viens pas ici, s'il te plaît, mon garçon. S'il te plaît, s'il te plaît. » Marcus a encore frappé, plus fort cette fois. Ensuite il a tiré sur la porte. Quand il a vu qu'elle était fermée, il s'est mis à secouer la poignée. Bishop avait reculé jusqu'au mur, la façon qu'on recule devant un homme armé d'un fusil. Il disait qu'il aurait bien voulu se glisser dans le coin pour se cacher, mais il avait peur que Marcus l'entende bouger et sache qu'il était là. Il avait du mal à empêcher le panier de tomber ; il a réussi à le retenir en pliant le bras.

Marcus a cessé de secouer la porte pour écouter. Comme personne venait ouvrir, il s'est mis à la secouer de toutes ses forces. C'était clair, Bishop expliquait, que Marcus allait pas partir avant qu'on vienne lui répondre.

Tout d'un coup le calme est revenu. Le silence était tel que Bishop entendait son cœur cogner dans sa poitrine. Les yeux fermés, il a marmonné une prière. Quand il les a ouverts, Marshall était devant lui et le regardait. Il le regardait avec tant de haine que Bishop s'est mis à reculer pareil qu'il avait reculé à l'arrivée de Marcus. Marshall le regardait durement pour le faire sortir de la cuisine. Mais lui il voulait pas ; les yeux sur Marshall, il reculait le long du mur, Marshall continuait à le fixer pour le faire sortir, mais il voulait pas.

– Fiche le camp d'ici, Marshall a fini par lui dire.

– Non, monsieur, il a répondu.

– Fiche le camp, Marshall a répété.

– Non, monsieur.

Et il a déballé tout à trac :

– Les gens de vot'parenté disaient que je pouvais rester ici. Ils m'aimaient. Tant que j'serais un bon garçon, ils disaient, je pourrais rester. Tant que je veillerais sur vous tous et que j'serais un bon garçon, je serais chez moi dans cette maison jusqu'à ma mort. Cette chambre à côté de la salle à manger…

Marshall lui a coupé la parole en marchant sur lui.

– Je t'ai pas dit de ficher le camp ?

Bishop s'est effondré sur le plancher, Marshall l'a attrapé par son col, il l'a à moitié relevé, et l'a laissé retomber brutalement. Bishop s'est caché la figure derrière le panier qu'il avait toujours pendu au bras. Marshall l'a fixé un moment avant de marcher vers la porte.

– Qu'est-ce que tu veux ? il a demandé.

– Le procès, Marcus a répondu.

Puis le silence. Bishop relevait pas la tête de derrière le panier, mais il imaginait presque la façon que Marshall regardait Marcus. Tendu, le poing serré, il devait fixer Marcus de ses yeux bleus au regard froid à travers la porte grillagée. Bishop aurait pas été surpris d'entendre un coup de feu. Mais en y resongeant, il s'est dit qu'il y aurait pas de coup de feu ; plus tôt dans la journée il avait entendu Marshall parler d'un procès au téléphone.

– Sois là lundi à dix heures, il a entendu Marshall dire.

– L'auto, je l'aurai quand ? Marcus a demandé.

Le silence est revenu. Bishop avait la figure pressée contre le panier. Mais il avait pas besoin de lever la tête pour savoir la façon que Marshall regardait Marcus. Il avait pas besoin de voir sa figure pour deviner qu'il aurait voulu tuer Marcus sur place.

– La voiture sera là à sept heures.

– Où ?

– À côté du magasin.

– Et Bonbon, où il sera ?

– Monsieur Bonbon ne sera pas là.

– Vous êtes sûr ?

Le silence de nouveau. Bishop osait pas lever la tête. Le moindre bruit superflu aurait pu pousser Marshall à tuer Marcus où il se tenait sur les marches.

– L'argent ? Marcus a demandé. La petite est malade. On aura besoin d'un pécule pour démarrer une fois arrivés là-haut.

– Dans la boîte à gants.

– La boîte à gants ?

Silence durant un moment, puis Marshall a répété ce qu'il avait dit. Marcus l'a salué et il est parti.

Marshall est resté à la porte un long moment. Bishop croyait toujours qu'un coup de feu pouvait éclater. Mais après avoir entendu le portail claquer dans la cour, il a compris que pour ce soir y aurait pas de fusillade. Il a senti que Marshall le regardait présentement. La figure pressée contre le panier, il marmonnait une prière. Mais il priait pas pour sa propre sauvegarde ; il priait pour Marshall, il priait pour la maison. Il demandait aux disparus de lui pardonner de les avoir abandonnés.

9

Le lendemain matin, quand Tante Margaret est arrivée en haut des quartiers, elle a trouvé Louise en train de faire ses bagages. Marcus était venu un moment après avoir quitté Marshall la veille au soir, et il lui avait parlé du procès et de la voiture. Le matin, sitôt que Bonbon est parti, Louise a commencé à se préparer. Quand Tante Margaret est arrivée, elle lui a dit ce qu'elle attendait d'elle. Tante Margaret lui a répondu qu'elle savait ce qu'elle avait à faire le samedi dans la maison, elle ferait rien de plus celui-là que les autres fois.

– Peut-être qu'on t'enverra pas chercher non plus, Louise a dit.

– Oui, m'dame. Faites ça. Faites donc ça. Ça m'arrangerait pas de quitter mon église et mes amis, sans parler d'Octave. Faites ça, Miss Louise ; m'envoyez pas chercher.

– Oh, Margaret, Louise a soupiré. Tu devrais être heureuse pour moi. Tiens, donne-moi ta main. Touche.

Tante Margaret a retiré sa main avant que Louise la pose sur sa poitrine.

– Margaret, faut que Judy et moi on ait l'air de négresses.

Tante Margaret a fait mine de pas entendre.

– Où elle est, la petite ? elle a demandé.

– À table.

Elles étaient dans la pièce de devant, elles sont allées dans la cuisine ; Tite était assise à la table, elle mangeait du gruau au lait dans une petite casserole. Elle mangeait avec une cuillère à soupe, et sa robe était trempée tellement elle en avait renversé sur elle.

– Dieu tout-puissant, regarde-moi ça !

– Judy sait manger proprement, Louise a dit.

– Vous croyez ?

Elle a décroché un torchon du clou pour essuyer la figure et la robe de Tite avec. Puis elle s'est assise pour lui donner à manger comme il fallait.

– La suie ça va ? Louise a dit.

Tante Margaret a regardé Louise sans savoir de quoi elle parlait.

– Lassuissava ? elle a fait. Qui c'est-y que ça ?

Louise a ri.

– C'est pas une personne, Margaret. La suie de la cheminée. Ça va pour mettre sur la figure ?

– Vous irez nulle part, Miss Louise.

Tante Margaret avait commencé à mettre une cuillerée de gruau dans la bouche de Tite, elle s'est arrêtée pour regarder Louise. Tite a gardé la bouche ouverte une seconde, puis elle l'a refermée.

– Le procès a lieu lundi, je te l'ai déjà dit, Margaret. Il sera innocenté. On aura la voiture lundi soir et on partira. Je t'ai pas dit tout ça quand t'es entrée?

– Vous irez nulle part, Miss Louise, Tante Margaret a répété.

Elle avait toujours pas mis la cuillère dans la bouche de Tite – elle la tenait en l'air, pleine à ras bord de gruau au lait.

– Tu veux pas qu'on parte, hein, Margaret? Louise a dit.

Elle avait cessé d'être heureuse; présentement elle était colère, elle se méfiait de Tante Margaret.

– Il avait raison, elle a dit. Toi et tes pareils vous voulez pas qu'on parte. Pour eux et toi c'est la fin si on part.

– Je sais pas de quoi vous parlez, Miss Louise, Tante Margaret a répondu, toujours sans faire manger Tite.

– Moi je sais de quoi je parle. Sidney et sa... sa Pauline, ils ont le droit, mais pas Marcus et moi. Eh bien, je dis qu'on s'en va, et on va s'en aller.

– Si seulement cette enfant était pas mêlée à ça! Tante Margaret a dit en recommençant à donner à manger à Tite.

– Eh bien si, elle y est mêlée. Et j'veux pas que tu lui mettes des sottises dans la tête, non plus.

– Quel genre de sottises, Miss Louise?

– Tu sais quel genre. Toi aussi tu es dans le bain, souviens-t'en.

Louise est sortie de la cuisine. Tite l'a regardée pardessus son épaule, puis elle a regardé Tante Margaret. Elle savait pas ce qui se passait, mais elle savait que Tante

Margaret était pas contente. Tite la regardait si tristement, Tante Margaret disait, qu'elle voulait la serrer contre son cœur.

Louise est revenue quelques minutes plus tard avec une petite boîte verte – un poudrier – et un foulard à pois. Elle s'est assise en face de Tante Margaret et elle a ouvert le poudrier. Tante Margaret a vu une houppette dedans. Le dessus de la houppette était rose, mais quand Louise a commencé à le plonger dans la boîte, Tante Margaret a vu que le dessous était noir.

– C'est de la suie dans ce poudrier ? elle a demandé.

– Oui, c'est de la suie. Viens, Judy.

– Vous savez pas que ça va la gratter ?

– Je te préviens, lui mets pas de sottises en tête. Viens, Judy.

Tante Margaret a essuyé la figure de Tite avec le torchon, et l'enfant est allée rejoindre sa mère, qui s'est mise à lui tapoter le visage avec la houppette. Tante Margaret regardait pas Tite, mais Louise. Son expression, elle disait, était sérieuse comme celle d'une femme qui nettoie les oreilles de son enfant. Sauf que Louise avait pas l'air d'une femme, elle avait l'air d'une fillette qui joue à la poupée.

– Tourne-toi de l'autre côté, Louise a ordonné.

Tite a obéi. Tante Margaret observait toujours Louise, et pas Tite. Louise trempait la houppette dans la boîte et tapotait Tite sous le menton et tout autour du cou. Puis Tante Margaret, qui n'avait pas quitté Louise des yeux, a compris qu'elle faisait pénétrer la suie dans la peau de Tite. Son travail terminé elle a remis la houppette dans le poudrier, et elle a noué le foulard autour de la tête de Tite.

– Alors ? elle a demandé.

Tante Margaret et Tite se sont regardées en même temps. Tante Margaret a eu l'impression de recevoir un coup de poing dans l'estomac. Tite ressemblait plus à une petite négresse que la fille de Jobbo, Edna.

– Cette enfant est toujours blanche, elle a décrété.

– Où ? Louise a demandé. On voit pas ses cheveux. Je lui mettrai des gants.

– Elle est toujours blanche quand même.

– Personne s'en apercevra de nuit.

– Et de jour ?

– Le jour on dormira.

– Où vous dormirez ?

– On trouvera des chambres.

– Un Noir, une Blanche et une enfant blanche en train de quitter le Sud ?

– On dormira, Louise a dit. Y a bien des braves gens quelque part.

– Oui, vous dormirez. Vous allez dormir.

– Tais-toi. Tais-toi. Si tu peux pas m'aider, tais-toi au moins.

Tite s'est mise à pleurer. Tante Margaret a tendu les bras, et l'enfant est venue s'y réfugier. Les larmes en coulant sur la figure de Tite laissaient une traînée blanche des yeux jusqu'à la bouche. Tante Margaret l'a prise sur ses genoux.

– Quand tu te lèveras, tu peux la débarbouiller, Louise a dit. J'essaierai encore une fois avant notre départ. Si ça la gêne, j'essaierai autre chose.

– Vous irez nulle part, Miss Louise.

Louise allait passer dans l'autre pièce, mais pour le coup elle s'est arrêtée près de la chaise de Tante Margaret, la main levée. Tante Margaret l'a regardée. Elle était si colère qu'elle était devenue toute rouge.

– Allez-y, battez-moi, Miss Louise. Battez-moi si ça peut vous soulager.

– Tais-toi, Margaret, Louise a dit en tremblant et en pleurant. Tais-toi au moins. Tais-toi.

Elle a quitté la pièce en pleurant. Tite pleurait aussi. Tante Margaret la berçait dans ses bras en murmurant :

– Chut, chut.

En entrant dans sa chambre Louise s'est d'abord couchée sur son lit pour pleurer. Mais au bout d'un moment elle s'est relevée et s'est assise à la table de toilette. Tante Margaret s'était mise au ménage, et en allant et venant près de la porte, elle voyait Louise se poudrer la figure devant le miroir.

Tante Margaret était sur la galerie de derrière en train de laver du linge quand elle a entendu Louise traverser la maison.

– De quoi j'ai l'air, Margaret ? elle a demandé.

Tante Margaret frottait une robe de Tite sur la planche à laver. Elle racontait qu'elle avait encore frotté deux ou trois fois avant de se retourner pour regarder Louise. On aurait pas cru que Louise était blanche, elle disait. Elle s'était noirci le visage juste ce qu'il fallait. Elle avait mis un chapeau et une voilette. Ses cheveux jaunes étaient cachés, et sans relever la voilette, on voyait pas ses yeux ni sa bouche.

– Vous pouvez passer, Tante Margaret a dit.

Louise a souri. « Pareil qu'une enfant, Tante Margaret a pensé. Une enfant de cinq ans qui joue dans la cour. »

– Oh, Margaret ! Louise a dit. Pourquoi tu comprends pas ?

– Je comprends déjà trop, il me semble.

– Je veux dire nous.

– Je vous comprends, Miss Louise, Tante Margaret a dit en se remettant à laver.

Louise s'est approchée de Tante Margaret et lui a posé la main sur l'épaule.

– J'allais pas te battre dans la cuisine, Margaret, elle a dit.

Tante Margaret frottait la robe de Tite sur la planche sans répondre.

– Tu me pardonnes, Margaret ?

– Oui, m'dame, je vous pardonne.

– Oh, Margaret. On veut seulement être heureux. C'est tout. C'est tout, Margaret.

Elle a tourné la tête pour la regarder, sans se redresser, ni même lever les mains de la planche à laver.

– Y a des personnes qui peuvent pas être heureuses ensemble, Miss Louise. Le monde est ainsi fait qu'elles peuvent pas.

– Nous, nous pouvons. Je suis toujours heureuse avec Marcus.

– C'est mal, Miss Louise.

Elle disait qu'elle lui parlait comme on parle à un enfant. Louise comprenait pas un autre langage.

– C'est pas mal pour les gens du Nord, elle a répondu. Ils s'en moquent, les gens du Nord.

Là Tante Margaret s'est redressée pour la regarder, elle racontait.

– Vous êtes pas avec des gens du Nord, Miss Louise.

– On ira dans le Nord. On se mêlera pas aux gens là-bas, mais on y vivra. Judy devra aller à l'école avec des enfants du Nord, mais je lui dirai de garder ses distances.

Tante Margaret a simplement regardé la figure noire de Louise à travers le voile. Même parler à Louise comme à un enfant, ça servait à rien.

– T'es pas fâchée après moi, Margaret ?

– Non, je suis pas fâchée.

– Oh, Margaret, Louise a fait en l'embrassant sur la joue à travers sa voilette. On va pas te faire venir, Margaret – je plaisantais. Mais je t'écrirai, et je t'enverrai un cadeau. Si jamais tu veux venir là-bas, on te paiera une partie du voyage. Parce qu'il t'aime bien aussi, Margaret. Il arrête pas de me dire qu'il t'aime bien. Hier soir encore il me disait : «J'aime bien ta bonne. – Qui, Margaret ? j'ai dit. – Oui, oui, Margaret, j'l'aime bien. » Tu vois ?

– Oui, m'dame, je vois.

Louise a souri.

– Tu vas m'aider maintenant ?

– Oui, m'dame, j'vais vous aider.

– On a encore deux jours, mais autant commencer tout de suite. Quand t'auras fini ta lessive, on fera la liste des provisions qu'il nous faudra. Faudra qu'on achète de quoi faire des sandwiches. T'inquiète pas pour l'argent. J'en ai mis un peu de côté. Tu savais pas que j'avais mis de l'argent de côté, hein ?

– Non, m'dame.

– J'ai un peu d'argent de côté.

– Vous croyez pas qu'il vaut mieux attendre lundi pour faire les sandwiches ?

– Pourquoi lundi ?

– Avec la chaleur qu'il fait, ils pourraient se gâter.

– Oh, oui, tu as raison, Margaret. Tu as toujours raison. Eh bien aujourd'hui on peut laver le linge.

– C'est c'que je suis en train de faire, Miss Louise.

– Et repasser et coudre les boutons, Louise a ajouté. Y a peut-être des choses à raccommoder. Oh, mon cœur chante, Margaret, je voudrais m'envoler.

Écartant les bras, elle s'est mise à danser. Tante Margaret la regardait, et bientôt elle s'est arrêtée. Elle a souri à Tante Margaret, lentement, longuement, d'un air gêné. Puis elle est rentrée dans la maison.

Le reste de ce jour et toute la journée du lundi, Tante Margaret a aidé Louise à préparer son départ. Mais elle savait que Louise et Marcus iraient nulle part.

10

Marcus a commencé à rassembler ses affaires ce dimanche-là juste après midi. Quand je suis venu à la porte il était assis sur la galerie, occupé à cirer ses souliers. Il en avait six ou sept paires. Des souliers marron et blanc, des souliers noir et blanc, des souliers sang-de-bœuf; et aussi des souliers marron uni, noir uni, une paire de souliers jaunes à bouts pointus, et une paire en toile grise. Il avait du cirage liquide et du cirage en boîte pour tous les souliers sauf ceux en toile. Il avait posé sur les marches deux brosses à chaussures et des chiffons à reluire. Quand je suis arrivé sur le seuil, il cirait les souliers sang-de-bœuf.

— Comment ça va? j'ai demandé.

— Je fais mes bagages.

Il portait ni chemise ni gilet de corps, il avait son pantalon marron. La veille il était allé chez le barbier; on voyait la ligne nette du rasoir sur sa nuque. Sur la corde à linge au-dessus de sa tête pendaient des tas de chemises, de pantalons et de costumes. Les chemises étaient de toutes les couleurs: bleues, roses, blanches, vertes. Il avait aussi une demi-douzaine de costumes et de vestes de sport. Il avait même sorti ses valises, qu'il avait ouvertes contre le mur pour les aérer.

Un petit garçon passait devant le portail et Marcus l'a appelé. Le gosse est entré dans la cour – il avait ni chemise ni chaussures, rien qu'une salopette déchirée aux genoux. La sueur brillait sur son corps et sa figure. Sur sa tête ses cheveux ressemblaient à des grains de poivre.

— Oui, m'sieur? il a dit à Marcus.

— Tu veux gagner une piécette?

— Oui, m'sieur.

— Va dans la maison, prends l'argent qu'est sur le lit. Après tu iras chez Josie et tu lui diras de m'envoyer deux parts de poulet et de la bière. Quatre bouteilles. Tu te rappelles tout ça ?

– Oui, m'sieur.

– Répète.

Le petit a répété.

– Bon, prends l'argent et vas-y.

Le petit a couru dans la maison prendre l'argent, puis il est sorti de la cour, et il a commencé à descendre les quartiers en courant. Il se claquait le derrière la façon qu'on fouette un cheval pour le faire galoper plus vite.

– Tu veux déjeuner avec moi ? Marcus m'a demandé par-dessus son épaule.

– J'ai rien contre.

Je suis allé m'asseoir au bout de la galerie. Je le regardais.

– J'prépare tout, il a dit.

– Ouais, je vois.

Il a craché sur le bout du soulier sang-de-bœuf qu'il a bien brossé. Puis il a mis le soulier entre ses genoux et il l'a frotté avec un chiffon. Il frottait fort et vite, en faisant claquer le chiffon temps à autre. À la fin, le soulier brillait à vous faire mal aux yeux.

– Pas mal, han ? il a dit.

– Ouais.

– J'ai un peu fait ça comme métier.

– C'est vrai ?

– Ouais, y a longtemps.

Après les souliers sang-de-bœuf, il a pris les marron.

– Demain à cette heure-ci, j'crois que le procès sera fini, il a dit d'un ton pensif. Mardi à la même heure je serai quelque part au Texas.

– Tu vas en Californie, han ?

– Ouais, j'crois que c'est le meilleur endroit pour nous. Paraît qu'il y a des usines de l'armée et de la marine là-bas. J'devrais pouvoir trouver du boulot.

Je l'ai regardé, mais j'ai rien dit. Je sentais encore ce nœud dans ma poitrine. Il était venu et revenu depuis la première fois que Marshall s'était montré dans le champ. Par exemple le vendredi soir quand Marcus était allé à la grande maison. À son retour, je l'attendais sur la route, et je lui ai demandé comment ça s'était passé. Il m'a dit que tout était arrangé. Mais quand je suis arrivé dans la cour le lendemain, Bishop est venu vers moi en secouant la tête. Il paraissait plus triste et plus abattu que jamais ; là debout devant moi, il secouait la tête. Il disait pas un mot, il ouvrait même pas la bouche, simplement il secouait la tête comme si le jour du jugement avait fini par arriver. Quand j'ai vu Marcus ce soir-là je lui ai parlé de Bishop, mais j'aurais pu épargner mon souffle, pour le bien que ça a fait.

Marcus a levé les yeux du soulier qu'il était en train de cirer et il m'a souri. Un petit sourire entendu, comme s'il savait à quoi j'avais songé tout ce temps.

– Tu penses toujours que ça va pas marcher, han ? il a dit.

– Tante Margaret et Bishop y croient pas.

– J'fais pas trop cas des paroles des vieilles personnes.

– C'est pas bien de dire ça, Marcus ; surtout à un moment pareil.

– Cesse d'être si vieux jeu, Jim. Où en seraient les gens s'ils prenaient jamais de risques ? Tu sais où ? Ici là dans les quartiers pour le restant de leur existence.

Le petit est revenu avec le poulet et la bière.

– Va dans la cuisine prendre l'ouvre-bouteilles sur la table, je lui ai dit.

Il est entré et sorti en courant comme un dératé. Après m'avoir tendu l'ouvre-bouteilles, il est sorti en courant de la cour. C'était de la graine de champion de course, ce petit.

On s'est assis pour manger. J'avais faim, vu que j'avais rien mangé depuis la veille. J'avais un peu joué chez Josie jusqu'à quatre heures du matin, et j'étais parti, fauché comme tout, sans rien avaler. En me levant j'avais toujours rien mangé. J'étais à demi mort de faim. Marcus aussi avait bon appétit. Il dévorait le poulet comme s'il avait pas vu de manger depuis des jours et des jours.

Le deuxième carillon a sonné pour l'église. Je voyais des gens passer devant le portail. Il faisait chaud, toutes les femmes et les jeunes filles portaient des robes de couleur claire. La plupart avaient des éventails en paille ou en carton. Les hommes s'éventaient avec leur mouchoir. Les petits enfants n'avaient rien, mais la chaleur les dérangeait pas autant que les grands. Presque tous me faisaient signe ou me parlaient en passant. Ils disaient rien à Marcus ; simplement ils regardaient ses habits pendus sur la corde.

– Avant j'appartenais à l'église, Marcus a dit.

– Ah oui ?

Il voyait que j'avais envie qu'il continue, alors il s'est tu assez longtemps.

– On m'a baptisé à douze ans. J'étais un bon petit chrétien, du reste. J'allais tout le temps à l'église, j'y allais avec ma maman. Les gens disaient que j'allais devenir prédicateur. Des fois je lisais la Bible à l'église. Et puis ma maman est morte. Mon papa m'a amené chez ma nan-nan et il est parti. Après son départ, j'ai dû trouver un boulot pour aider à assurer ma pitance. J'en ai trouvé un dans un parc à autos. Y avait un autre nègre qui travaillait là, on l'appelait Big Red. J'avais pas plus de quinze ans alors, et Big Red me montrait les ficelles du métier. Il me demandait un dollar par jour pour me montrer les ficelles du métier. Je trouvais que c'était pas juste, alors je suis allé voir le patron. Il m'a dit de pas donner un sou à ce satané Big Red. J'ai répété ses paroles à Big Red. J'ai pas dit le mot satané, parce que j'étais chrétien et satané était un vilain mot. J'ai seulement dit à Big Red que le patron m'avait dit de rien lui donner. "Alors t'es allé trouver l'homme blanc, han? Big Red a dit. Pour ta peine tu vas me donner deux dollars par jour. Va le raconter au patron." Je suis allé dire au patron que Big Red me demandait deux dollars par jour. J'avais rien à donner à Big Red, il a dit. Big Red voulait pas me croire, il pouvait pas le lui dire lui-même? "J'suis un peu occupé, il m'a répondu, mais va répéter mes paroles à Big Red." Mais j'ai rien répété, vu que présentement j'avais compris ce qui se passait. Big Red était son meilleur nègre, il se foutait pas mal de ses agissements.

«Alors j'ai prié Jésus à genoux. Tous les soirs avant de me coucher je demandais à Jésus de visiter Big Red. Je me disais que s'il accordait sa bénédiction à Big Red, il me laisserait en paix. Il aurait peut-être pitié de moi, si jeune comme garçon, et même me donnerait un peu d'argent. Mais Big Red était à cent lieues de penser à ça. Tous les jours avant que je sorte du travail, il venait me réclamer ses deux dollars. Si je lui disais que j'avais pas récolté deux dollars de pourboires, il fourrait sa main dans ma poche et me prenait tout. Je voulais quitter le boulot, mais ma nan-nan me disait de surtout pas le faire. Le patron blanc allait me créer mauvaise réputation, elle disait, et j'aurais du mal à trouver une autre place à Baton Rouge. Alors je suis resté. Je suis resté, et tous les soirs je priais. Je priais tellement que j'ai même cité le nom de Big Red à l'église. Mais au lieu de dire: "Jésus, viens visiter Big Red, j'ai dit: Jésus, s'il te plaît, fais que Big Red me prenne plus mon argent." Aussitôt y a eu un grand rire. Tout le monde est parti à rigoler dans l'église, même le pasteur en chaire. Ils riaient et toussaient en s'essuyant les yeux. Parce que vois-tu, Jésus faisait pas des choses pareilles. Jésus guérissait les malades et ressuscitait les morts, mais il empêchait pas les gens de vous prendre votre argent. C'était pas un miracle, même un tout petit.

« Le lendemain quand je suis allé travailler, Big Red m'a dit : "J'ai appris que t'avais parlé de moi à un juif. Ça va te coûter un dollar de plus." Le soir il est venu toucher ses trois dollars. Je venais d'acheter une grande bouteille de soda. "Bon, paie-moi, il a dit. N'essaie pas d'y couper, j'prendrais le fric dans ta poche." Je lui ai fracassé la bouteille sur le crâne.

« Seulement, avant que j'aie pu disparaître, la police était déjà là. On m'a traîné en prison et on m'a mis dans une cellule avec six ou sept nègres. Y en avait un que les autres appelaient Cadillac. Sitôt que j'suis entré, Cadillac m'a dit : "Tu m'as apporté mes cigarettes ? – Non, j'ai dit. – On vient pas chez les gens sans leur apporter leurs cigarettes", il a dit en m'envoyant son poing dans l'estomac. Je suis tombé par terre. Il m'a ramassé et il a recommencé. Il m'a battu si fort que je pouvais même pas regagner ma couchette. Deux autres nègres ont dû m'y porter. Le lendemain matin le geôlier a vu que j'étais couvert de marques, mais il a rien dit. Il a même donné une plus grosse gamelle à Cadillac qu'à nous autres. Cadillac était son nègre, pareil que Big Red était le nègre du patron blanc.

« Quand ma nan-nan est venue me voir, je lui ai demandé de m'apporter des cigarettes à sa prochaine visite. Elle a acheté les cigarettes avant de quitter la prison, et je les ai données à Cadillac. Chaque fois qu'elle venait c'était pareil. Elle me donnait des cigarettes que je donnais à Cadillac. Quand Cadillac est sorti, un autre est venu à sa place. On l'appelait Maquignon et il se disait le cousin de Cadillac. Cadillac lui avait dit de prendre les cigarettes que je lui devais, il m'a dit. Alors quand ma nan-nan venait présentement, je donnais les cigarettes à Maquignon. J'étais pas le seul que Cadillac et Maquignon traitaient de la sorte ; ils en usaient de même avec tous ceux qu'ils pouvaient. Maquignon se faisait même sucer par des prisonniers. Pas moi, d'autres types. S'il avait essayé avec moi, je l'aurais tué pendant son sommeil. Mais avec d'autres il se gênait pas. Si le geôlier surprenait un prisonnier en train d'en sucer un autre, il l'emmenait ailleurs et le battait comme plâtre. Ensuite il le ramenait. Et Maquignon le forçait à recommencer. Il avait un favori, un petit métis qu'on appelait le Chinois. Maquignon obligeait le Chinois à le sucer tous les soirs. Chaque fois qu'il avait fini, il dégueulait et priait Jésus. Tous les soirs il était forcé d'avaler, et après il dégueulait et priait. J'aurais pu lui dire que ça servait à rien de prier, mais je pensais qu'il valait mieux rester en dehors de ce merdier. Un jour on a emmené le Chinois à la maison de fous à Jackson.

« Quand Maquignon est sorti de prison, un autre est venu à sa place. J'ai oublié son nom – Wagon ou un nom dans ce goût-là. Il se disait le demi-frère de Maquignon. Alors c'est à lui que j'ai donné les cigarettes. Et puis un jour je me suis dit que j'allais plus rien donner à ces branleurs, même s'ils me tuaient. Si je devais y passer ma vie, la vie valait pas la peine d'être vécue. Alors j'ai dit à ma nan-nan de plus m'apporter de cigarettes. Mais elle a continué. Chaque fois qu'elle en apportait, je déchirais le paquet et je le jetais dans les chiottes. Wagon me flanquait la raclée chaque fois, mais je m'en foutais. Quand on m'a relâché, je me suis promis une chose : je m'occuperais de moi, et c'est tout. J'allais plus rien attendre de la vie, à part ce que je pourrais en tirer moi-même. Et personne, personne doit me demander davantage. »

– T'y arriveras pas comme ça, Marcus, j'ai dit. La façon que le monde est fait, y faut unir nos efforts.

– Pas moi.

– Si, toi aussi, Marcus. Toi aussi. Toi, moi, et tous les autres.

– Non, pas moi. Je les connais déjà, tu comprends. Quoi qu'ils disent, c'est rien qu'un tas de conneries. On fait ce qu'on peut pour soi, et c'est tout.

En haut des quartiers, les fidèles chantaient et priaient dans l'église. Je regardais Marcus, et je me sentais vide. Je me sentais vide parce qu'il était incapable de croire en Dieu et en l'amitié ; je me sentais vide parce que j'étais pas sûr de croire à grand-chose moi-même.

11

Le lendemain matin, quand je suis arrivé dans la grande cour, Bonbon était déjà là. Il m'a dit que Marcus allait pas aux champs avec moi parce qu'il allait à son procès. Il serait là le tantôt, alors c'était pas la peine de prendre quelqu'un pour le remplacer. À dix heures il a emmené Marcus à Bayonne dans le camion. Marcus avait mis son costume noir, sa chemise blanche et ses souliers noir et blanc. Le procès commençait à dix heures et demie ; à onze heures et demie c'était fini, et à midi moins dix Bonbon avait ramené Marcus dans les quartiers. En s'arrêtant devant le portail, il a dit à Marcus d'aller se changer, la lune de miel était finie.

Charlie Jordan habitait de l'autre côté de la route, juste en face de chez nous. Il était assis dehors sur sa galerie, le pied droit dans une bassine d'eau additionnée de sels d'Epsom. Il racontait qu'il avait vu Bonbon et Marcus échanger des paroles, puis se regarder avec colère, mais il savait pas de quoi il retournait. Marcus a quitté le camion. Bonbon l'a suivi des yeux quelques secondes, puis il a fait demi-tour et remonté les quartiers à toute vitesse. D'après Charlie la poussière volait tellement sur la route qu'on voyait même pas la maison voisine. Bonbon est allé à la grande maison, il a frappé à la porte grillagée, mais avant qu'on ait le temps de répondre, il a ouvert à la volée.

– Où il est le patron ? il a demandé à Bishop.

Bishop est parti chercher Marshall. Quand ils sont revenus dans la cuisine, Pauline y était également. Debout près du fourneau, elle faisait mine d'être occupée.

– Oui ? Marshall a fait.

– Qu'est-ce qui se passe avec ce garçon ? Bonbon a demandé.

– Quel garçon ?

– Celui que j'ai emmené à Bayonne.

– Il t'a dit quelque chose ?

– Un peu qu'il m'a dit quelque chose. Qu'il est innocent et qu'il a plus besoin de retourner aux champs.

– Il est innocent. Je viens de recevoir un coup de fil de Bayonne.

– Innocent ?

– Oui. Tu n'es pas allé au procès ?

– J'avais d'autres chats à fouetter. Depuis quand ces choses-là se décident aux procès ?

– Depuis toujours, je croyais, Marshall a répondu.

– Ah ouais ?

– Oui. Mais peut-être que je me trompais.

Là ils se sont mesurés du regard. Bonbon savait que Marshall mentait. Qu'il avait tout arrangé depuis le début. Et Marshall savait que Bonbon était au courant. Quand il s'est tourné pour partir, Marshall l'a arrêté. Bonbon s'est pas retourné, il a regardé Marshall par-dessus son épaule.

– Je veux que tu m'emmènes quelque part ce soir, Marshall a dit. Voir le taureau de Jacques. Je t'attends à six heures.

Bonbon est sorti. Quand Marshall est reparti dans le couloir, Bishop et Pauline se sont regardés. Elle a dit :

– Innocent ? Innocent ? Il a dit qu'il était innocent ?

Bishop lui a pas répondu. Il aimait pas Pauline, il l'aimait pas du tout, mais pour l'heure c'était pas la raison qu'il lui répondait pas. Il lui répondait pas parce qu'il se sentait trop faible pour parler. Il se sentait trop faible pour rester debout. Il aurait dû être couché avec une serviette fraîche sur le front.

Pauline a entendu le tracteur monter les quartiers et elle est sortie dans la cour pour aller à ma rencontre. Elle était au silo quand j'y suis arrivé. C'était la première fois, depuis que j'étais sur la plantation, que j'étais pas content de voir Pauline. J'ai rangé le tracteur devant le silo, et j'ai sauté à terre pour savoir ce qu'elle voulait.

– Qu'est-ce qui se passe, Jim ? elle m'a demandé.

– Pourquoi ? j'ai dit.

– Marcus est innocent.

– C'est vrai ?

– Tu veux dire qu'il va pas payer pour avoir tué ce garçon ?

– S'il est innocent, sans doute que non.

– Qu'est-ce qui se passe, Jim ? elle a répété en me regardant bien en face. Qu'est-ce qui se passe ici ?

– Je sais pas, j'ai dit.

– Si, tu sais. Qu'est-ce qui se passe ici, Jim ?

– Reste en dehors de ça, Pauline.

– En dehors de quoi ?

– En dehors de tout, j'ai dit en me détournant.

Elle m'a attrapé par le bras.

– Qu'est-ce qui se passe, Jim ? Qu'est-ce qui se passe ici ?

Elle me serrait le bras. Un autre moment, j'aurais aimé. Mais là tantôt j'avais peur.

– Reste en dehors de ça, Pauline. T'en mêle pas, je t'en prie.

– Qu'est-ce qui se passe, Jim ?

– Même si tu savais, t'y pourrais rien.

– Ça concerne Sidney ?

– La femme de Bonbon, j'ai dit.

– Qu'est-ce que c'est, Jim ?

– T'en parles à personne, surtout.

– Qu'est-ce que c'est ?

– Marcus et Louise se sauvent d'ici ce soir.

Pauline a mis la main sur sa bouche. Je lisais ses pensées dans ses yeux. Je voyais qu'elle me croyait pas, puis au bout d'un moment, qu'elle me croyait. Et puis je l'ai vue se demander : « Pourquoi ? Pourquoi ? Pourquoi ? » Et ensuite répondre à sa question. Lentement sa main a quitté sa bouche.

– Je vois, elle a dit. Je vois. Et moi ?

– Va falloir que tu partes aussi.

– Pour aller où ? Et faire quoi ?

– T'as pas de famille ?

La façon qu'elle m'a regardé, j'ai compris qu'elle voulait pas aller dans sa famille. Et après tout le temps qu'elle avait fréquenté Bonbon de la sorte, peut-être que sa famille voulait pas d'elle non plus.

– Reste pas ici ce soir, Pauline, j'ai dit. Y aura peut-être du grabuge.

Elle m'a pas répondu ; elle s'en fichait à présent.

– T'as entendu ? j'ai dit.

Elle a pas répondu ; elle regardait par terre. Elle se fichait de tout à présent.

– Rentre dans la maison, Pauline. T'as rien sur la tête.

Elle a levé les yeux vers moi. J'ai vu qu'elle se fichait de tout. Elle m'a tourné le dos et elle est repartie vers la demeure.

En sortant sur la route, j'ai vu le camion garé devant la maison de Bonbon. En approchant, j'ai vu Bonbon sortir sur la route et me faire signe. J'ai arrêté le tracteur et Bonbon est venu plus près pour se faire entendre par-dessus le bruit du moteur. J'ai sauté à terre pour mieux écouter.

– Prends Jonas avec toi, il a dit.

– Il se passe quelque chose ?

– Ce garçon est libre.

– Libre ?

– Oui, libre. Ils avaient tout goupillé depuis le début. Le type qu'il a tué, ça compte pas.

– Peut-être qu'il était dans son tort.

– Non, ils avaient tout goupillé. Même si l'autre était dans son tort, on s'en tire pas comme ça, Jime. Ils ont tout goupillé. Ils ont voulu que j'fasse trimer ce garçon, et ils rigolaient derrière mon dos. C'est moi le dindon de la farce.

« Et ça fait que commencer, j'ai pensé. Attends demain à la même heure. »

– Prends Jonas, il a dit.

– Vous viendrez plus tard ?

– Non, j'crois pas. Faut que j'm'occupe d'un petit travail à la rivière. J'emmène le patron quelque part ce soir.

J'ai hoché la tête.

– Écoute, Jime, il a dit. Pas la peine de vous fatiguer ce tantôt. Y a presque plus de maïs, et on devrait avoir fini avant la fin de la semaine toute façon. Vous êtes loin du fossé ?

– Je sais pas. Quinze ou seize rangées.

– Quand vous serez au fossé, vous rentrez.

– Entendu.

J'allais remonter sur le tracteur, mais il m'a encore retenu.

– Jime ? Qu'est-ce que t'en penses ? Tu trouves qu'il devrait être libre ?

– Qu'est-ce que je peux dire ? Ils ont décidé comme ça.

– Ouais, t'as raison, il a dit. Qu'est-ce qu'on est, toi et moi ? Des petites gens, Jime. Ils nous font faire ce qu'ils veulent, ils nous tiennent pas au courant. On a pas not'mot à dire, pas vrai, Jime ?

– Non, pas grand-chose.

– Prends Jonas.

Je suis remonté sur le tracteur et je suis parti. Quand j'ai regardé par-dessus mon épaule, je l'ai vu rentrer dans la cour. Il marchait la tête basse. Il pensait encore à ce qu'ils lui avaient fait.

12

Marcus était à la maison à mon retour. Il était couché sur le lit dans sa chambre. Il avait tout emballé sauf les habits qu'il mettrait le soir. Son pantalon marron et sa chemise de soie bleue étaient pendus à un cintre contre le mur. Ses souliers gris étaient par terre près de la fenêtre. Marcus était couché sur le lit sans rien d'autre que son caleçon.

– Eh ben, c'est fini, il a dit quand je suis entré dans la chambre.

– J'ai appris la nouvelle.

– Ouais, c'est fini, il a dit en souriant.

– Tu veux une bière ? je lui ai demandé.

– J'ai remis des bouteilles au frais. J'suis allé chez Josie en chercher d'autres.

– Vous vous parlez Josie et toi maintenant ?

– Ouais, on s'est raccommodés. Je lui ai dit que je prenais le large ce soir. Je lui ai dit avec qui, et elle a rigolé.

– Tu lui as dit que tu partais avec Louise ?

– Ouais. D'abord elle m'a pas cru. Mais maintenant elle me croit.

– Tu prends de gros risques, Marcus.

– Oh, qui va aller raconter ça ?

Il m'a suivi de l'autre côté. Il avait toujours rien sur le dos, à part son caleçon.

– T'as faim ? je lui ai demandé.

– Non. J'mangerai peut-être plus tard. J'ai réchauffé ton ragoût.

– Merci, j'ai dit.

J'ai senti la bonne odeur en entrant dans la cuisine. La veille au soir j'avais fait cuire du bœuf que j'avais assaisonné avec des oignons et des poivrons doux. J'avais fait du riz pour aller avec. Après m'être lavé la figure et les mains, je me suis servi et mis à table. Marcus avait déjà ouvert deux bouteilles de bière.

– Ouais, ça y est, il a dit.

– À ta santé, j'ai répondu en levant ma bouteille.

Lui aussi a levé la sienne. Je me suis mis à manger. Je le regardais, la poitrine toujours serrée. J'avais senti ce nœud toute la matinée ; quoi que je dise, quoi que je pense, il m'avait pas quitté.

– Écoute, Marcus, j'ai dit. T'es libre, han ?

– Ouais, j'suis libre.

– Alors pourquoi tu pars pas maintenant ?

– Maintenant ?

– Ouais, maintenant.

– Et elle ?

– C'est la femme d'un autre, Marcus. Et elle est blanche.

– Et alors?

– Écoute, Marcus. Tu tiens vraiment à cette femme?

– Ouais, il a répondu, mais sans beaucoup de conviction.

– T'es sûr, Marcus?

– Oui, il a dit, un peu plus fermement cette fois. Ouais, je crois que oui. Oui, je tiens à elle. Je savais pas jusqu'ici, jusqu'à tant que tu me demandes. Mais là tantôt, je sais que je l'aime. Ce serait pas pareil sans elle. Oui, je l'aime – je l'aime cette petite femme. J'prétends pas qu'elle soit très jolie – honnêtement, on peut pas dire ça; mais quand même je l'aime. Parce que je sais qu'elle m'aime. Jamais j'ai eu quelqu'un pour m'aimer comme ça. Elle me réchauffe des plats et me les porte au lit. Elle pleure pour moi…

– Rien te fera changer d'avis?

– Rien.

– Avant, tu voulais juste t'en aller d'ici.

– Maintenant j'veux qu'on s'en aille tous les deux. Elle aussi est esclave ici, pareil que je l'étais.

– Tu peux pas t'en aller et la faire venir? J'veux dire, partir tout de suite et la faire venir après?

– Comment elle s'en irait d'ici toute seule? Elle peut même pas sortir de la cour sans qu'on la remarque et qu'on aille jaser. Elle m'a dit elle-même qu'elle est pas sortie de sa cour depuis plus d'une année. J'crois que c'est la raison que je l'aime – j'sais pas. Tu pensais pas que j'pouvais avoir du cœur, j'parie?

Je lui ai pas répondu, je l'ai seulement regardé. Il avait des gouttes de sueur sur le nez.

– Encore six heures dans ces quartiers, il a dit, et adieu. Adieu la Louisiane, adieu le Sud.

– Je voudrais que tu changes d'avis et que tu partes tout de suite. Cette longue attente me dit rien qui vaille.

– J'peux pas, il a dit en buvant une gorgée de bière. Elle a besoin de moi. Elle a besoin de sentir mes bras autour d'elle. Elle me l'a dit elle-même. Elle a dit : « Marky-Lou » (c'est comme ça qu'elle m'appelle quand on est seuls), « Marky-Lou, sans toi j'deviendrais folle. » C'est ce qu'elle m'a dit : « Sans toi j'deviendrais folle, Marky-Lou. J'ai besoin de sentir tes bras autour de moi. J'ai besoin de tes bras sans arrêt, Marky-Lou. »

Étendant son bras devant lui, il l'a considéré.

– Pas mal comme bras, han ?

J'ai hoché la tête. Il avait pas changé. Quoi qu'il arrive, il changerait jamais.

– Elle dit qu'elle aime la couleur de mes bras, il a dit en tordant son bras dans un sens, puis dans l'autre.

– Ah oui ?

– C'est ce qu'elle dit.

Il regardait toujours son bras. Puis il m'a regardé.

– Une gentille p'tite femme, telle que tu la vois là. N'empêche que des fois c'est un petit diable, comme toutes les autres.

– Bon, j'crois t'avoir dit tout c'que je pouvais. J'espère que tu vas changer d'avis, mais j'peux pas te forcer.

– Non, inutile d'en parler.

Mon repas fini je suis resté boire une autre bière avec lui.

– Qui c'est qui prend ma place ? il a demandé.

– Un bougre du nom de Jonas.

– Ah ouais, ce nègre qui marche lentement. Il parle lentement aussi.

– Ouais, il est assez lent.

– Ben, tant qu'il travaille pas lentement. Ils vont le tuer, ces monstres. (Il a ri.) Ils me portaient pas dans leur cœur. Ben, vois-tu, j'leur laisse tout ça. Leur place est ici, pas la mienne. La tienne non plus, Jim.

– J'ai pas la femme d'un autre pour réclamer mes bras.

– T'aurais pas trop de mal, il a dit.

Je restais assis à le regarder. Ça me disait toujours rien qui vaille de le voir s'attarder ainsi. Juste avant de repartir aux champs, je lui ai dit que je rentrerais assez tôt pour lui dire adieu. Il serait content, il a répondu. On s'est serré la main. Il a serré la mienne très fort. Une fois sorti sur la route, j'ai mis le tracteur en route et je me suis retourné pour le regarder. Debout sur le seuil, il me faisait signe.

13

Tout l'après-midi a été bien trop calme, racontait Tante Caroline. D'habitude c'était calme quand tout le monde était reparti aux champs et que seuls les vieilles gens et les petits enfants restaient dans les quartiers, mais ce jour-là, c'était particulièrement calme. Elle en a parlé à Pa Bully à plusieurs reprises, et il a hoché la tête. Ils étaient au courant pour le procès, ils connaissaient les intentions de Marcus (Josie avait déjà répandu la nouvelle), alors Pa Bully et elle osaient à peine se regarder. Il tâchait de cacher sa peur, et elle de paraître plus brave qu'elle était ; mais après avoir vécu si longtemps avec une personne, y a pas grand-chose qu'on ignore d'elle. Le soleil était derrière la maison, aussi ils étaient assis sur la galerie de devant. Elle avait déjà accompli ses tâches ménagères le matin – un peu de ménage, un brin de cuisine – si bien que sa seule occupation présentement était de s'asseoir sur la galerie avec son mari. Quand l'air serait plus frais, elle irait peut-être faire un tour dans son jardin.

– J'me rappelle la fois qu'ils ont lynché le gamin à Coon, Pa Bully a dit.

Il allait continuer, mais Tante Caroline l'a fait taire du regard. Comme elle l'expliquait plus tard, elle se rappelait bien cette journée aussi. L'air avait la même odeur qu'aujourd'hui, l'endroit était calme comme aujourd'hui, et il faisait chaud, clair et beau comme aujourd'hui. Alors elle voulait pas en entendre parler.

Charlie Jordan, lui, avait le soleil sur sa galerie de devant, alors il s'était assis dans un fauteuil à l'intérieur. Chaque fois que le soleil avançait, il reculait un peu dans la pièce. Mais chaque fois qu'il déplaçait son fauteuil, il prenait soin de le placer de façon à voir Marcus de l'autre côté de la route. Il s'était planté un clou dans le pied ce matin-là, et la blessure le faisait toujours souffrir. Pour calmer la douleur, il s'était attaché un morceau de viande salée sur le pied. Autrement il aurait été dans le champ de coton avec ses enfants. Mais puisqu'il pouvait pas y aller, il restait chez lui, son fauteuil face à la porte, et il observait Marcus. Comme Pa Bully et Tante Caroline, il avait déjà entendu parler du procès et des projets de Marcus pour le soir même. Il avait peur, mais en même temps il était fier de Marcus. Marcus avait pu faire une chose que la plupart des gens de la région auraient même pas osé rêver. Il a vu Marcus sortir sur la galerie et s'y planter un moment, les mains sur les hanches. Après avoir jeté un coup d'œil du haut en bas des quartiers, il est rentré dans la maison. Charlie le voyait arpenter le plancher de la pièce. Quelques minutes plus tard il est ressorti, cette fois avec une bière. Il était toujours en caleçon. Charlie racontait qu'il restait un moment au même endroit, puis se mettait à arpenter la galerie. Puis il rentrait dans sa chambre ou dans la mienne. Chaque fois qu'il allait dans ma chambre, il en ressortait avec une bouteille de bière.

Charlie s'est fait du café, une pleine cafetière, puis il est revenu s'asseoir. Il devait marcher sur le talon de son pied droit, vu qu'il s'était enfoncé le clou juste au milieu. Il savait pas quel démon possédait les enfants de mettre des clous sur la route, alors que les gens marchaient pieds nus tout le temps, il disait.

Charlie Jordan buvait son café tout en regardant Marcus. Même quand il était pas sur la galerie, Charlie regardait par là. Puis Marcus reparaissait. Il avait dû entrer et sortir une douzaine de fois dans l'après-midi. Il était comme un lion en cage, Charlie racontait.

Vers quatre heures, Charlie disait, la douleur de son pied droit a vraiment empiré. La sueur ruisselait sur sa figure comme de l'eau de pluie. Il s'est traîné vers son lit pour se coucher. Il tremblait là tantôt. Il tremblait comme s'il avait la fièvre. Mais c'était pas la fièvre, il expliquait plus tard. C'était la peur tout bonnement. Avant il s'était pas rendu compte des dangers que courait Marcus. À un moment il s'est mis à claquer des dents, et il a dû mordre le drap pour s'arrêter.

Tante Margaret, de son côté, racontait que Louise et elle avaient tout emballé avant que Marcus revienne de son procès. Et pas un instant elle avait cessé d'avoir peur. Un moment, elle s'est sentie si faible qu'elle pouvait pas attacher la ficelle de la boîte à provisions, Louise a dû l'aider ; une fois fini d'empaqueter, elles ont tout caché sous le lit, et Louise a recommencé à se poudrer. Elle ressemblait encore plus à une femme de couleur que le samedi matin. Elle commençait à avoir l'habitude, elle savait exactement quelle quantité de suie fallait mettre. Avec son chapeau et sa voilette, impossible de la prendre pour une Blanche. Elle a poudré Tite également. Avec le foulard à pois sur la tête, on aurait dit une des fillettes à Jobbo, Tante Margaret disait.

À midi, pendant que Bonbon, Louise et elle étaient à table, Tite a dit :

– J'nèg', papa ?

– Kess-cou-sé ? Bonbon a demandé.

– Elle a joué avec la boue dehors, elle s'en est mis plein la figure, Louise a dit. Maintenant elle se prend pour une négresse.

– Pas nèg', Bonbon a dit à Tite. Pas nèg'.

– Pas nèg' ? Tite a fait en secouant la tête.

– Pas nèg', Bonbon a répondu en secouant la tête à son tour.

Après son départ, Tante Margaret et Tite sont allées s'asseoir sur la galerie. Louise vérifiait qu'elle avait rien oublié. Elle prenait seulement des habits et du manger. C'est pour ça que Bonbon avait rien vu qui manquait. Fallait qu'il regarde dans la commode ou dans l'armoire pour s'apercevoir que les habits de Louise y étaient plus, et il avait aucune raison de le faire.

Vers trois heures, Tite s'est endormie dans les bras de Tante Margaret, qui l'a couchée sur le petit lit de la galerie. Puis elle s'est rassise dans son fauteuil, et elle a regardé l'enfant. Elle s'est mise à pleurer, les larmes coulaient sur ses joues. Elle s'est pas rendu compte qu'elle pleurait si fort avant que Louise vienne à la porte et lui pose la main sur l'épaule.

À cinq heures, elle s'est apprêtée à rentrer chez elle. Tite était réveillée. Elles étaient toutes les trois sur la galerie. Tante Margaret a pris Tite dans ses bras, elle l'a serrée contre elle, et elle l'a reposée. Elle a regardé Louise.

– Y a une chose qui te ferait plaisir ici ? Louise a demandé.

Tante Margaret avait envie de répondre : « Vous irez nulle part, Miss Louise. J'peux dire au temps qu'il fait que vous allez pas quitter cet endroit. » Mais elle s'est contentée de secouer la tête.

– Adieu, Margaret, Louise a dit.

Tante Margaret a descendu les marches. Au portail, elle s'est retournée pour les regarder une dernière fois. Elles la suivaient encore des yeux depuis la galerie. Elle est sortie sur la route. La poussière était si blanche, si chaude, qu'elle lui brûlait les yeux, elle disait.

Vers cinq heures et demie, Bonbon est monté à la grande maison. Bishop racontait que Pauline était encore là. Elle aurait pu partir à trois heures et demie, mais elle était restée parce qu'elle savait que Bonbon allait revenir. Quand il est entré, elle lui a demandé s'il voulait manger. Il s'est assis à table et elle lui a servi une assiette bien remplie. Bishop et Bonbon ont échangé un ou deux coups d'œil, mais sans rien se dire. Ils s'aimaient pas beaucoup, l'un et l'autre, et ils en avaient conscience tous les deux. Mais pour l'heure, c'était pas de la haine que Bishop ressentait pour Bonbon. Il avait peur, c'est tout, et il savait déjà qu'il y pouvait strictement rien. Il pouvait pas s'enfuir, il savait pas où aller. Il avait nul endroit où aller. Il avait rien d'autre que cette maison et cette cour.

Pendant que Bonbon mangeait, Pauline s'est assise en face de lui pour boire du café. Ils disaient presque rien, Pauline le regardait à travers la table. Elle savait ce qui allait se passer, Bishop disait, et elle espérait que Bonbon le savait aussi, mais elle pouvait pas lui parler. La plus grande partie du temps Bishop était dans la salle à manger – il faisait briller des verres à vin qui brillaient déjà – mais une ou deux fois il est revenu dans la cuisine où étaient Bonbon et Pauline. Elle regardait toujours Bonbon. Lui continuait à manger sans lui prêter attention.

– J'arrête pas de penser à Baton Rouge, elle disait. C'était bien là-bas – nous deux dans cette chambre –, le vent qui soufflait dans le rideau. Tu te rappelles ?

Il mangeait sans un mot.

– J'aimais cet endroit. J'aurais jamais voulu partir. Tu sais pas l'air que tu as quand tu dors – avec le vent qui soulève le rideau. Tu te rappelles ? Je te l'ai dit quand tu t'es réveillé.

Il a pas répondu.

– Je voudrais qu'on le refasse. Je voudrais rester toujours ainsi. Qu'on aille dans un endroit où on doive jamais partir. Tu crois que ce sera encore comme ça ?

Il répondait pas. Il la regardait même pas. Il continuait à manger.

– Promets-moi que ce sera encore comme ça. Je ferai tout ce que tu voudras si tu me le promets.

Bishop ignorait si Bonbon l'avait regardée ou pas. Il est reparti dans la salle à manger. Quelques instants plus tard, Marshall l'a traversée, un sac en papier à la main. Bishop l'a entendu dire à Bonbon :

– On se retrouve en bas dans une minute. On prendra ma voiture.

Puis Bishop a entendu la porte grillagée se refermer. Il s'est approché de la fenêtre – en faisant briller un verre à vin qui brillait déjà – et il a regardé Marshall marcher vers la vieille auto de l'autre côté de la cour. Marshall a ouvert la portière, il est monté. Quand il est ressorti, il avait plus le sac en papier. Bishop a secoué la tête. Le sac était trop gros pour contenir de l'argent, il a pensé.

Dans la cuisine, Pauline disait :

– Promets-moi, promets-moi !

– Qu'est-ce que tu as ? Bonbon lui a demandé.

– Promets-moi qu'on passera une autre journée ensemble comme ça.

– Je te vois ce soir.

– Tu promets ? Tu promets ? Promets-moi !

Bonbon est sorti. Bishop a entendu la porte claquer derrière lui. La voiture a traversé la cour et Bishop a

253

quitté la salle à manger. Il allait dans sa chambre s'allonger, mais il s'est arrêté pour regarder Pauline. Debout devant la porte grillagée, elle regardait dans la cour. Quand elle s'est rendu compte que Bishop était dans la cuisine, elle s'est tournée vers lui. Sa figure montrait tant de haine qu'il a dû battre en retraite. Il est allé dans sa chambre s'allonger sur son lit. Quelques minutes plus tard il a entendu Pauline quitter la maison.

Y avait plus de bruit à présent. Bishop avait fermé sa porte et sa fenêtre pour obscurcir la chambre. Couché sur son lit, il écoutait et attendait. Il savait pas ce qu'il allait entendre, mais il était sûr qu'il allait entendre quelque chose.

14

J'aurais dû rentrer dans les quartiers à six heures au plus tard, mais juste au moment où on arrêtait le travail, le tracteur est tombé en panne. Mon cœur a sauté dans ma gorge parce que je savais pas combien de temps j'allais mettre à réparer. Freddie et les autres en savaient rien non plus, et comme ils avaient déjà entendu parler des projets de Marcus, ils voulaient pas s'attarder dans les champs, ils sont partis à pied. J'ai failli en faire autant et revenir plus tard m'occuper du tracteur, mais je me suis dit que c'était mon boulot de réparer comme c'était mon boulot de conduire.

J'ai mis une heure pour le remettre en marche. Le soleil était déjà couché quand j'ai finalement repris la route. Y avait pas de lumières au tracteur, mais je le menais quand même aussi vite que possible. Je savais qu'il était près de sept heures, et que Marcus se préparait à partir. Je voulais être là pour lui dire au revoir. Quoi qu'une personne ait fait, faut quelqu'un à ses côtés au dernier moment. Et qu'avait-il fait de si mal ? Il avait tué, oui, oui, mais lui avait-on pas donné le droit de tuer ? J'avais pensé à ça dans le champ tout l'après-midi et je m'étais dit : « Oui, oui ; c'est pas Marcus, c'est eux. Il a été que l'instrument. Comme Hotwater a été l'instrument ; on l'a mis là pour que Marcus le tue. Comme Bonbon a été l'instrument ; on l'a mis là pour faire trimer Marcus. Et Pauline et Louise, elles aussi, ont été des instruments. » Alors je rejetais plus la faute sur Marcus. En un sens, si, parce que je trouvais toujours pas que c'était bien de tuer. Ni d'être libre après avoir tué. Mais que pouvais-je faire contre cette grande machine qui approuvait ? Je pouvais rien y faire. Bonbon avait dit : « On n'est rien d'autre que des petites gens. Ils nous font faire ce qu'ils veulent, et ils nous disent rien. » Alors pourquoi rejeter la faute sur Marcus ? Pourquoi ? Non, je croyais plus que c'était sa faute. Je l'admirais. J'admirais son grand courage. C'est pour ça que je voulais me dépêcher de rentrer. C'est pour ça que mon cœur avait sauté dans ma gorge quand le tracteur était tombé en panne ; j'avais peur de pas pouvoir lui dire à quel point j'admirais ce qu'il faisait. Je voulais lui dire combien je le trouvais courageux. C'était l'homme le plus courageux que je connaissais, le plus courageux que j'avais rencontré. Oui, oui, je voulais lui dire. Et je voulais dire à Louise combien j'admirais sa bravoure. Je voulais leur dire qu'ils étaient en train d'ouvrir la voie – oui, c'est ce que je leur dirais : ils ouvraient la voie, d'autres en entendraient parler, ils comprendraient, et ils pourraient les imiter. « Vous êtes très courageux tous les deux, je vous respecte et je vous admire », j'allais leur déclarer. Et je serrerais la main à Marcus, j'embrasserais Louise sur la joue – si elle me le permettait. Je leur demanderais si je pouvais acheter des friandises pour Tite. Oui, je lui achè-terais un gros sac de friandises pour qu'elle se rappelle toujours que quelqu'un avait été de son côté quand elle était partie.

Entre les champs et les quartiers, j'ai pas ralenti. Sitôt la voie ferrée franchie, j'ai vu comme les quartiers étaient sombres et tranquilles. Pas une lumière dans les maisons. Aucun enfant jouait dehors. Personne était assis sur les galeries en attendant que le souper soit prêt. Les cheminées laissaient pas échapper le moindre filet de fumée. Les lieux étaient si sombres et si tranquilles qu'on aurait dit que tous les habitants avaient déménagé. Mais ils avaient pas déménagé, ils s'étaient enfermés dans les maisons. Ils avaient tous appris les intentions de Marcus, et ils avaient tous peur. C'était cette peur qui au début m'avait fait détester Marcus. J'avais peur pour moi et pour les autres. Elle était toujours en moi, cette peur, mais j'en rejetais plus la faute sur Marcus. Parce que c'était pas Marcus le responsable. C'était les gros bonnets.

J'ai roulé aussi vite dans les quartiers que pour revenir des champs. Y avait pas besoin de rouler lentement, puisque tout le monde était à l'intérieur. Quand je suis arrivé devant ma maison, j'ai vu que la porte de Marcus était grande ouverte. J'ai arrêté le tracteur et j'ai couru à l'intérieur voir s'il était là. Ses valises avaient disparu, alors j'ai compris qu'il était déjà parti. Je suis ressorti en courant, je suis remonté sur le tracteur. Peut-être je le rattraperais à l'autre maison. J'ai cru voir la petite lumière rouge d'une auto en haut des quartiers, et j'ai accéléré autant que je pouvais. Puis j'ai vu la lumière rouge sortir des quartiers, et j'ai pensé que j'avais vraiment manqué Marcus. J'avais un gros nœud dans la gorge parce que je voulais le voir avant son départ. La façon que les gens s'étaient barricadés dans leurs maisons, j'étais encore plus fier de Marcus. Je voulais faire savoir à Louise combien j'étais fier d'elle, aussi.

À ce moment j'ai vu quelqu'un courir à ma rencontre. Il commençait à faire nuit noire et j'ai pas su qui c'était avant qu'il déboule sur le tracteur. Là j'ai reconnu Sun Brown. Il paraissait pas voir le tracteur. Si j'avais pas donné un coup de volant, il aurait pu se jeter sous les roues.

– Sun ? j'ai crié. Qu'est-ce qui se passe, Sun ? Sun ?

Il continuait à courir. Il courait comme un homme épuisé. C'est tout juste s'il pouvait remuer les jambes, et pourtant il courait.

J'arrivais à la hauteur de la maison de Bonbon. J'ai vu une auto rangée devant le portail. En approchant j'ai vu que c'était la Ford 41 que Marcus devait prendre pour partir. La portière avant, du côté du chauffeur, était ouverte. La portière arrière de l'autre côté aussi. J'ai stoppé et sauté à terre. En regardant à l'arrière de la voiture j'ai vu une boîte en carton sur la banquette. J'ai jeté un coup d'œil vers la maison. Elle était obscure. Mais j'ai cru apercevoir quelqu'un assis sur les marches. Je suis allé au portail pour regarder de plus près. Oui, quelqu'un était assis sur les marches. J'ai ouvert le portail et je suis entré dans la cour. J'ai pensé que le chien allait aboyer après moi, mais il s'est pas manifesté. Plus tard j'ai appris que Louise avait enfermé le chien dans la cuisine quand Marcus était venu les chercher, elle et Tite. Arrivé au petit portail, j'ai vu que c'était Bonbon assis sur les marches ; il tenait Tite entre ses bras. À gauche des marches, Marcus était couché par terre. J'ai ouvert le portail et je suis entré dans la petite cour. Le devant des habits de Marcus était noir de sang. Je me suis agenouillé à côté de lui pour ôter de la terre qu'il avait sur la figure, et c'est à ce moment que j'ai remarqué Louise, qui sortait en rampant de sous la maison. Elle portait une robe de couleur claire, et sa figure était noire. Celle de la petite fille entre les bras de Bonbon était noire aussi.

Louise avait levé la main droite à sa bouche – non, pas la main, le bout des doigts. Elle voyait personne d'autre que Marcus. Je suis même pas sûr qu'elle le voyait, elle savait seulement où il était. Elle s'est agenouillée près de moi, sans me voir, les yeux tout le temps sur Marcus.

Puis lentement elle a baissé sa main droite, et elle a touché la figure de Marcus. Légèrement, presque sans la toucher. Elle a touché ses cheveux et son oreille aussi légèrement. Puis de nouveau elle a effleuré son visage.

– Tu as mal, Marky-Lou? elle a murmuré. Tu as mal?

J'allais l'écarter de lui, mais j'ai changé d'idée. C'était pas parce que Bonbon était assis là. Je me foutais de Bonbon. Je m'en foutais qu'il me tue comme il avait tué Marcus. Je l'ai pas écartée de lui parce que c'était la dernière fois qu'ils seraient ensemble.

– Tu as mal, Marky-Lou? elle a répété. Tu as mal?

Elle a posé sa figure contre la sienne. Elle a plus rien dit tant que je suis resté là; elle pleurait même pas.

La raison que Sun courait sur la route, c'est qu'il avait tout vu. Et voilà ce qu'il avait vu.

15

Ce jour-là, Sun Brown était allé à la plantation de Frank Morris. Sa sœur lui avait fait dire que sa fille aînée avait des ennuis, et Sun y était allé pour voir ce qu'il pouvait faire. Lui et sa sœur sont restés tout l'après-midi à parler sur la galerie avec la donzelle. Elle avait vraiment des ennuis; elle s'était fait engrosser et le garçon voulait pas la marier. Vers cinq heures, quand Sun s'est levé pour partir, ils savaient toujours pas ce qu'ils allaient faire. Sun a promis d'envoyer quelques dollars chaque fois qu'il aurait la possibilité; puis il s'est remis en route. La plantation Hebert était à huit ou dix kilomètres de la plantation Morris, et Sun devait faire le trajet à pied. Vers six heures et demie, en passant devant la ferme de Jacques Guerin, il a vu Marshall, Bonbon, Jacques et deux ou trois autres Cajuns le long de la barrière. Ils regardaient un taureau brahma dans la cour. Sun s'est arrêté sur la route pour le regarder aussi. Il se moquait pas mal du taureau, mais ça le gênait de passer devant son patron et son contremaître sans les saluer. Ils l'avaient pas vu, ils tournaient tous le dos à la route. Marshall a tiré sa montre et regardé l'heure, puis il l'a remise dans sa poche. Bonbon a jeté un coup d'œil par-dessus son épaule, et il a vu Sun. Sun a levé la main et fait signe. Bonbon lui a pas rendu son salut ; il regardait Sun en se demandant ce qu'il faisait là. Sun aurait voulu expliquer à Bonbon que monsieur Marshall lui avait donné la permission d'aller voir sa sœur, mais Bonbon était trop loin. Sun, ne sachant que faire, a souri et fait un nouveau signe. Marshall et les autres Cajuns l'ont regardé, et il a salué Marshall. Pareil que Bonbon, Marshall lui a pas rendu son salut. Il a encore sorti sa montre pour regarder l'heure. Quand le taureau s'est mis à marcher dans la cour, tout le monde s'est tourné pour le regarder.

Sun s'est remis en route. Il pensait pas aux hommes qui l'avaient pas salué, ni à sa nièce qui était grosse, il pensait que la vie était dure. Sun croyait avoir traversé autant d'épreuves que n'importe qui, et peut-être un peu plus. Quand il est arrivé devant le magasin de la plantation, il s'est rappelé que sa femme Sarah lui avait demandé d'acheter du riz et un bout de viande salée. Il est entré, et il a remarqué que pas un seul client noir se trouvait dans la boutique. Le vieux Godeau lui a demandé où ils étaient tous passés, et il a répondu qu'il savait pas. Après avoir payé le riz et la viande, il est parti pour sa maison. En entrant dans les quartiers, il a remarqué que tout était calme. Il comprenait pas pourquoi c'était si calme, et pourquoi il avait peur tout d'un coup. Il avait beau chercher des gens sur la route, il voyait personne. Arrivé devant la maison de madame Laura Mae, il a crié son nom. Madame Laura Mae lui a pas répondu. C'était drôle, vu que d'habitude à cette heure-là, madame Laura Mae était assise sur sa galerie, et elle adorait faire un brin de causette. La peur de Sun a redoublé, et il a pressé le pas. Alors il a vu une auto venir vers lui – non, il a vu la poussière. Elle volait à travers les quartiers derrière une auto qui remontait les quartiers tous feux éteints. L'auto s'est arrêtée devant la maison de Bonbon, quelqu'un en est sorti et a couru dans la cour. Quand Sun est arrivé à la hauteur de la voiture, la personne est revenue un paquet dans les bras. Il a vu que c'était Marcus. Marcus a jeté le paquet sur la banquette arrière, et il est rentré aussi vite dans la cour. Sun pouvait pas bouger, il était trop stupéfait. Il comprenait pas ce qui se passait. Il aurait jamais imaginé que Marcus et Louise se sauvaient ensemble.

Puis il a regardé par-dessus son épaule. Il avait pas entendu l'autre voiture, ni vu de lumière – les phares étaient pas allumés. Non, il avait senti la voiture arriver.

Il aurait voulu courir, mais il pouvait pas. Alors il s'est jeté dans le fossé, et il s'est faufilé dans les mauvaises herbes où on le verrait pas.

L'auto s'est arrêtée et Bonbon est descendu. Il a regardé l'autre voiture et la maison avant d'entrer dans la cour. Sun voyait bien que Bonbon savait pas ce qui se passait non plus. Une fois que Bonbon a été dans la cour, Marshall est sorti de la voiture et il a marché vers la vieille auto. Sun l'a vu fouiller dans la boîte à gants. Puis il est ressorti avec un sac en papier. Il l'a emporté dans sa voiture et il a démarré. Sun a reporté son attention sur Bonbon. Il était pas encore arrivé sur la galerie – il savait toujours pas ce qui se passait. Il s'était même arrêté dans l'allée et il avait jeté un coup d'œil vers la route pour que Marshall lui explique. Il a fallu que Marshall démarre pour qu'il reparte vers la galerie. Sun a vu que Marcus, Louise et Tite étaient sur la galerie, Marcus devant, un paquet dans les bras, et Louise derrière lui, tenant Tite par la main. Bonbon savait toujours pas ce qui se passait, Sun le voyait à la façon prudente et réfléchie qu'il marchait vers la maison. Mais quand il est entré dans la petite cour, Marcus a jeté son paquet et il a sauté en bas pour l'affronter. Marcus avait toutes les chances du monde de se sauver, Sun disait, et il comprenait pas pourquoi il courait pas. Il criait intérieurement : « Cours, mon garçon ! Cours ! Cours ! » Mais à la place, Marcus a sauté sur le sol pour se battre. Bonbon avait pressé le pas là tantôt. Arrivé au pied de la galerie, il s'est baissé et il a ramassé quelque chose près des marches. Sun a vu que c'était une faux, pas une houe ni une pelle, à la façon que Bonbon l'a fait tournoyer vers Marcus. Marcus a couru à la barrière et il a arraché un piquet qui servait à la maintenir. Bonbon et lui ont commencé à lutter. Marcus bloquait la lame plus souvent qu'il essayait de frapper avec le piquet. Sun entendait le bruit de l'acier contre le bois et du bois contre le manche. Il aurait voulu courir, mais il était cloué sur place. Il pouvait même pas fermer les yeux ni se boucher les oreilles.

Quand la lutte a commencé, Louise a sauté de la galerie pour ramper sous la maison. La petite fille s'est avancée vers les marches, mais le bruit de la lame contre le bois et du bois contre le manche l'a fait reculer. Elle a encore fait plusieurs tentatives, mais chaque fois on aurait dit que Marcus et Bonbon se battaient juste en bas des marches, et Tite devait retourner sur la galerie.

Sun avait toujours envie de s'enfuir, mais il était incapable de bouger. Même quand la voiture de

Marshall Hebert a remonté les quartiers à vive allure, phares allumés, Sun est resté paralysé. Il pouvait pas détacher les yeux de la petite fille qui tentait de descendre les marches.

Puis l'espace d'un instant, tout a été trop calme. Ensuite il a entendu un hurlement, et il a vivement tourné la tête à gauche. Il a vu que Marcus avait perdu le piquet, il a vu Bonbon lever la faux. Il a eu le temps de fermer les yeux, et même s'il a rien vu, il a entendu la lame frapper. Quand il a pu rouvrir les yeux, il a vu Bonbon debout la faux à la main. Il l'a lancée loin de lui à travers la cour, et il est monté sur la galerie prendre sa petite fille. Il s'est assis sur les marches, l'enfant entre les bras.

Sun était toujours immobile. Il a pas bougé avant d'entendre le tracteur monter les quartiers. Alors il a bondi hors du fossé et il s'est pris à courir. Il est rentré chez lui en courant tout du long. Il a raconté à personne ce qu'il avait vu. Il l'a gardé pour lui une semaine entière. Il sortait pas de sa maison. La seule personne qui pouvait l'approcher était sa petite dernière, qui était trop jeune pour parler et poser des questions.

16

Y a pas eu de procès, mais une simple audience. Bonbon s'en est tiré avec la légitime défense. D'après le rapport, voici ce qui s'était passé : Marcus avait volé la voiture de Marshall Hebert, et il tentait de s'enfuir avec Louise quand Bonbon les avait surpris par hasard. Marcus avait déclenché la bagarre et Bonbon l'avait tué pour se protéger. On a pas parlé de Marshall à cette audience.

Bonbon a quitté la plantation le lendemain. La veille de son départ, il est venu me voir pour tâcher de m'expliquer. Il m'a dit qu'il savait que Marshall avait incité

Marcus : il devait le tuer, lui Bonbon, pas se faire tuer par lui. Mais Marcus avait pas le pistolet que Marshall avait mis dans la boîte à gants. Bonbon avait vu Marshall fouiller dans l'autre voiture, mais il a su qu'après coup ce qu'il cherchait. Il m'a dit qu'il voulait pas se battre avec Marcus, il espérait qu'il allait se sauver. S'il avait essayé, il l'aurait laissé partir, et personne aurait rien dit. Mais comme Marcus s'est pas sauvé, il a dû se battre avec lui. Non seulement se battre, mais le tuer. S'il avait pas tué Marcus, il aurait été tué lui-même. Les Cajuns du fleuve lui auraient réglé son compte. Assis sur la galerie, j'écoutais Bonbon, mais j'arrivais pas à éprouver de la pitié pour lui. De mon côté, toute la compréhension qui avait existé entre nous avait disparu. Il l'a lu sur ma figure et j'ai bien vu qu'il en souffrait. Il est parti, et le lendemain il a quitté la plantation avec sa petite fille. Pauline est partie deux jours plus tard avec les jumeaux. La nuit de la bagarre, des gens avaient emmené Louise dans un hôpital à La Nouvelle-Orléans. Peu de temps après, on l'a fait entrer à Jackson – l'asile d'aliénés.

Le samedi après le départ de Bonbon et de Pauline, Marshall Hebert m'a fait venir dans sa bibliothèque.

– Tu ferais mieux de t'en aller, il m'a dit.

– Oui, monsieur, j'y songeais aussi, j'ai répondu.

– Ces Cajuns savent que le garçon vivait dans la même maison que toi, et ils pourraient se mettre en tête de te faire du mal.

J'ai hoché la tête. Il craignait pas que les Cajuns me fassent du mal. Il voulait que je parte parce que je savais la vérité sur ce qui s'était passé. Il avait peur que je me mette à le faire chanter, et d'avoir à trouver quelqu'un pour m'éliminer.

Marshall était assis derrière son bureau. Il a poussé une grosse enveloppe vers moi. Je l'ai prise et j'en ai sorti une lettre.

– C'est seulement une recommandation, il a expliqué. Pour dire que tu es un bon travailleur.

Après avoir lu la lettre, je l'ai repliée soigneusement et je l'ai remise dans son enveloppe. Puis je l'ai reposée sur le bureau.

– Tu n'en veux pas ? il a demandé en devenant tout rouge.

– Non, monsieur, je me débrouillerai. Merci beaucoup.

Je suis rentré chez moi et j'ai fait mes bagages ; puis je suis allé chez Tante Margaret. Je lui ai dit que tout ce que j'avais laissé dans la maison était pour elle. Si elle en avait pas l'usage, elle pouvait le donner.

– Assieds-toi manger quelque chose avant de partir, elle a dit.

Il était environ trois heures. Je me suis mis à table et Tante Margaret m'a servi une grande assiette de viande avec du riz. Elle a pris une tasse de café et s'est assise à la table aussi.

– Oui, faut que tu partes, elle a dit en hochant la tête pensivement.

– Je sais, j'ai dit tout en mangeant.

– Tu vas pas oublier, vois-tu.

– J'peux pas, Tante Margaret.

– C'est pour ça qu'il faut que tu partes. Sinon tu penseras à lui sans arrêt.

– Vous avez déjà oublié, Tante Margaret ?

– Oui.

Sa cuisine était bonne. Je mangeais lentement, en la regardant de l'autre côté de la table.

– Quand on vit aussi longtemps que moi, on apprend à oublier assez vite.

– Moi j'peux pas. C'est lui qu'a tué Marcus. Pas Bonbon.

– C'est toi qui le dis.

– Tout le monde le sait.

– Je sais rien de la sorte, elle a dit en me regardant droit dans les yeux.

– Toute façon je songeais à m'en aller.

– Pourquoi tu l'as pas fait avant ?

Je l'ai regardée par-dessus la table. J'aimais beaucoup Tante Margaret.

– J'sais pas, j'ai dit.

Elle a hoché la tête.

– Moi je sais.

– Mais vous savez pas que c'est Marshall Hebert l'homme qu'a tué Marcus ?

– Non, ça je l'ignore.

Je mangeais en la regardant. « Je serai comme elle un jour, j'ai pensé. Mais Marcus serait jamais devenu pareil. »

– Je me demande où ils peuvent être maintenant, elle a dit.

– Pauline et Bonbon ?

– Oui.

– J'sais pas.

– Tu crois qu'elle l'a rejoint ?

– Peut-être.

– Faudra qu'ils aillent dans le Nord, Tante Margaret a dit.

– C'est là que Marcus et Louise voulaient aller.

– Tu aimais Marcus, pas vrai, James ?

– À la fin. Louise et lui. Ils ont montré beaucoup de courage.

– C'est pourquoi ça devait se terminer ainsi. Ils peuvent pas tolérer une chose pareille.

– Qui ?

– Bonbon et sa clique.

– Mais pas Marshall ?

– Il avait rien à voir avec cette affaire.

– Alors pourquoi il me fait partir ?

– Les Cajuns pourraient faire du vilain.

Après avoir vidé mon assiette, je l'ai mise dans la bassine d'eau savonneuse sur le fourneau. Puis je suis revenu vers la table, où Tante Margaret était toujours assise. Quand elle s'est levée, j'ai vu qu'elle avait les larmes aux yeux.

– Penche-toi un peu, James, elle m'a dit.

Je me suis penché vers elle. Elle m'a embrassé sur la joue et serré dans ses bras.

– Bon, je pars, j'ai dit.

– Où tu vas, James ?

– Je sais pas, Tante Margaret.

On est sortis sur la galerie, où Oncle Octave et monsieur Roberts étaient assis. Monsieur Roberts tenait la petite badine qui lui servait à taper sur les mouches. Je leur ai dit adieu à tous les deux, puis j'ai accroché ma guitare à mon cou et j'ai pris mon sac et ma valise. Tante Margaret m'a suivi jusqu'au portail.

– Au revoir, je lui ai encore dit.

– Je vais te faire un brin de conduite.

Elle a pris mon sac. Les gens qu'on croisait sur la route me disaient adieu. Ceux qui étaient sur les galeries me saluaient de la main. Certains sont sortis sur le pas de leur porte pour me faire signe.

Quand on est arrivés devant la vieille maison de Bonbon, on s'est arrêtés un moment, Tante Margaret et moi. L'endroit paraissait frais, solitaire et paisible. J'ai secoué la tête.

– Je comprends ton sentiment, Tante Margaret a dit.

– Je pensais aux paroles du pasteur à l'enterrement de Marcus. L'homme reste un petit temps ici-bas, et il s'en va.

– C'est la vérité vraie, Tante Margaret a dit.

– Bon, adieu encore une fois, j'ai dit en lui posant la main sur l'épaule et en l'embrassant sur la joue.

– Prends bien soin de toi.

J'ai ramassé la valise et le sac, et j'ai fait quelques pas sur la route. Quand j'ai jeté un coup d'œil par-dessus mon épaule, j'ai vu Tante Margaret retourner chez elle.

Achevé d'imprimer en février 2010
dans les ateliers de Normandie Roto Impression s.a.s.
61250 Lonrai
N° d'impression : 100526
Dépôt légal : mars 2010

Imprimé en France